JN029521

池上彰の世界の見方

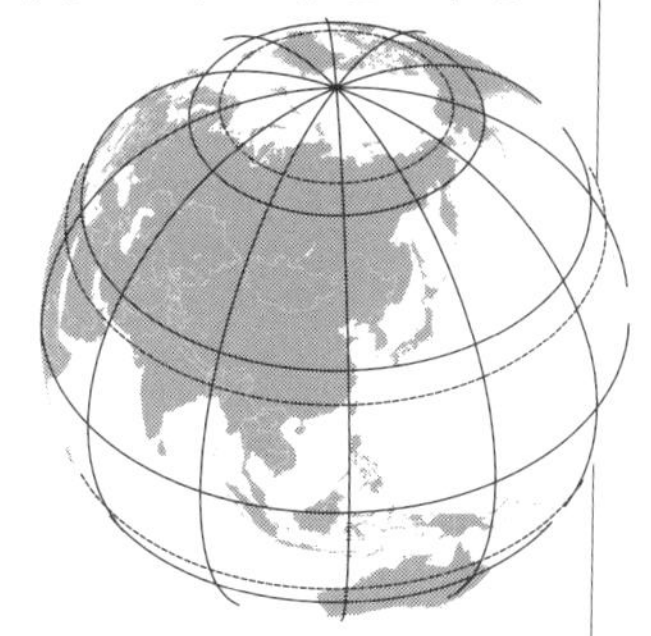

Akira Ikegami,
How To See the World

中国

巨龍に振り回される世界

小学館

北京
天津
上海
重慶
台湾
Taiwan
台北
香港
Hong Kong

基礎データ

中華人民共和国	**面積**	約960万平方キロメートル(日本の約26倍)
	人口	約14億人
	首都	北京
	政体	人民民主共和制
香港	**面積**	約1106平方キロメートル(東京都の約半分)
	人口	約752万人(2019年)
	政体	中華人民共和国香港特別行政区
台湾	**面積**	3万6000平方キロメートル(九州よりやや小さい)
	人口	2360万人(2020年2月)
	主要都市	台北、台中、高雄
	政体	三民主義(民族独立、民権伸長、民生安定)に基づく民主共和制

出典:外務省ホームページ

はじめに

私たち日本に住むものにとって、中国に対するイメージは、年代によって大きく異なります。私より上の世代にとっての中国は、さまざまな文化を日本に伝えた先進国家でした。「四書五経」に代表される儒教文化や水墨画の数々。憧れの対象ですらありました。

それが、私のような70代の人間にとって中国は、多くの人が自転車で移動する国。貧しくて自動車に乗る人などほとんどいない国でした。人々は一様に人民服を着ていました。

文化大革命時代は紅衛兵（こうえいへい）たちが暴れ回り、毛沢東（もうたくとう）に対する個人崇拝が進んで、国民が毛沢東をまるで神様のように見ている姿に違和感を覚えたものです。

当時の中国は鎖国のような状態で、国内の様子は漏れてきませんでした。ときおり中国政府が日本を口汚く罵ったことがニュースになる程度でした。

それでも田中角栄総理大臣（当時）が訪中し、日中国交正常化が実現して以降は、日中の間での往来が少しずつ進みました。

それが大きく変化したのは、最高実力者の鄧小平が「改革開放政策」を打ち出してからのことです。大量の中国製品が日本に流れ込むようになりました。私より下の世代の多くの人にとって当時の中国は、なんでも模倣し、粗悪品を乱造する国のイメージでしょうか。

ところが、今の10代にとっては、「安くて、それなりに品質のいい商品」をつくる国というイメージに変わりつつあります。この印象の違いは、どこから来ているのか。その秘密を解き明かそうとしたのが、この本のひとつの狙いです。

今や中国はデジタル先進国になりつつあります。デジタル化で日本は中国の後塵を拝するようになってしまったのです。IT大国となった中国を直視すること。それが求められているのです。もはや過去のイメージは通用しない。その現実をぜひ受け止めてほしいと思います。

今の中国の対外膨張ぶりに危機感を抱いている人も増えています。東シナ海でも南シナ海でも傍若無人の振る舞いは周辺諸国の警戒心をかき立てています。

日本の防衛費が増えているのも、中国の軍事力の増強に対応したものです。どうして中国は、こんな挑発的な態度を取るようになったのでしょうか。そこには、中国なりの「論理」があるのです。

その中国の実相を把握するうえで必須なのが、中国共産党の存在です。創設されて100年。創設当初はわずか数十人だった組織が、今や党員数9500万人という巨大な組織に発展。中国各地の隅々にまで手を伸ばし、国民を監視し、指導しています。共産党の実態を知らないと、今の中国は理解できないのです。その共産党は、どのようにして発展してきたのでしょうか。

中国を語るときに対照的に言及されるのが台湾です。共産党による独裁と民主主義体制の台湾。どちらも新型コロナウイルスの感染防止対策をとりましたが、その手法は異なっていました。どちらが有効だったのか。日本はどちらの手法を参考にすべきなのか。答えは明らかですが、そのために日本が改善しなければならないことは多々あることを痛感します。

新型コロナで世界が大混乱している時期に、香港の民主主義を扼殺(やくさつ)してしまった中国。そもそも香港は「一国二制度」のもと言論の自由も表現の自由も保証されていたはずなのに、あっという間に不自由な地域になってしまいました。私が香港でインタビューしたアグネス・チョウ（周庭）さんは逮捕され、釈放されたあと、言論を封じられてしまいました。激励の連絡をしたいのですが、それをすると「外国勢力と結託した」という言いがかりをつけられてしまうため、うっかり連絡も取れない状態です。悔しくてたまりません。

香港ばかりではありません。新疆ウイグル自治区の人たちへの抑圧の実態も、次第に明らかになってきました。習近平国家主席は、何を狙っているのでしょうか。これも本書で取り上げています。

中国抜きでは経済が回らなくなっている世界の中で、私たちは、どうあるべきなのか。それを考える材料が提供できればと思います。

二〇二一年八月

ジャーナリスト・名城大学教授・東京工業大学特命教授　池上　彰

目次

池上彰の世界の見方 中国

巨龍に振り回される世界

本書の情報は2021年8月末日現在のものです。

本書は、東京工業大学附属科学技術高等学校で行われた授業をもとに、適宜加筆して構成しています。

第1章
「食料」を武器にした中国と対中包囲網

台湾のパイナップルが窮地に

今世紀になってから、中国はめざましい発展を遂げました。2020年、中国は世界で最初に新型コロナウイルスによる打撃を受けましたが、早期に感染症を抑え込み、世界の主要国の中で唯一実質GDP（国内総生産）をプラスにしました。イギリスの民間調査機関の経済ビジネス・リサーチ・センターは同年12月に、中国が従来の予測より5年早く、2028年にはアメリカを抜いて世界一の経済大国になるだろうと発表しました。

一方、アメリカのジョー・バイデン大統領は、2021年3月に暫定版の国家安全保障戦略の中で、中国を「国際秩序に挑戦する唯一の競争相手」と認定し、「新しい国際規範や合意を形づくるのはアメリカだ」と対抗意識を鮮明にしました。

このところ、米中対立をかつての米ソ対立になぞらえて「新冷戦」と呼ぶようになっています。バイデン大統領は、新型コロナや気候変動などの分野では中国と協調すると言っていますが、人権問題や知的財産の窃取などの問題については、中国と激しく対立しています。バイデン政権は同盟国と一緒に「対中包囲網」を構築しようとしていますが、対中包囲網に加わるのはどんな国々で、何をしようとしているのでしょうか。それに対して、中国は食料を武器に貿易制限を行って、中国に敵対しないように各国を牽制しています。

Q パイナップル、牛肉、サーモン、この三つの食品から何か連想しませんか？

――？？？

いきなり、ハードルが高かったかな。では、ヒントです。これらの食品の輸出国がどこか考えてみてください。

――**パイナップルは南米かフィリピン、牛肉はアメリカ、サーモンはノルウェー……？**

なるほど。少し難しかったかもしれませんね。この場合、パイナップルは台湾、牛肉はオーストラリア、サーモンはノルウェーなのです。それぞれの代表的な輸出食品なのですが、中国に輸入を止められて困ったという共通点があるのです。どういうことか、ひとつずつ説明しましょう。

２０２１年3月、中国が台湾のパイナップルを、中に害虫が入っていたという理由で輸入停止にしました。それに対し、台湾の蔡英文（さいえいぶん）総統はフェイスブックに、台湾産パイナップルは品質検査で99・79％が合格しており、中国の一方的な輸入停止措置は単純な貿易上の手続きではないと投稿。中国の嫌がらせであることを示唆（しさ）しました。

台湾のパイナップルの産地は南部の農村地帯で、蔡英文総統の与党である民主進歩党（民進党）の地盤です。民進党は中国が主張する「ひとつの中国」にはなりたくないと考えていて、蔡英文総統は中国と対決姿勢を見せています。蔡英文総統の支持基盤の農家の人たちは、パイナップルを中国に輸出できなくなると困ってしまいます。蔡英文総統が中国と対立するからこんなことになるのだ、もっと中国と仲よくすべきだ、という声が高まる。それが中国のねらいで、蔡英文総統の地盤を切り崩そうとしたのだと見られています。

――**それは、パイナップル農家にも蔡英文総統にも気の毒だと思います。**

そう思うよね。ところが、蔡英文総統もしたたかな行動に出ます。蔡英文総統はすぐ現地へ行って農家に支援することを表明し、台湾のパイナップルをアピールします。海外のメディアは、パイナップルの輸出の９割を中国に頼る台湾が大変だ、苦境に立つ台湾を救え、と報道しました。

実は、台湾では毎年42万トンほどのパイナップルが生産されているのですが、輸出されるのはそのうちの１割にすぎません。その９割が中国向け、つまり中国への輸出量は生産量全体の９％なのです。でも、蔡英文総統が農家の苦境とパイナップルをアピールしたため、日本も含めて台湾産のパイナップルを中国以外の国が買うことになったのです。２０２１年の春夏、日本のスーパーや青果店でも台湾パイナップルがたくさん売られていました。蔡英文総統は非常にうまくやっているなと思いますね。

ノーベル平和賞の報復でサーモンの輸入停止

それにしても、中国が折に触れて、いろんなところで嫌がらせをしてきたのは事実です。昨年から続いているのがオーストラリアへの嫌がらせです。

2020年4月、オーストラリアのスコット・モリソン首相が、新型コロナウイルスの発生源についての調査を独立した調査機関で実施するように要求しました。これに中国が猛烈に反発し、オーストラリアの牛肉の輸入を止めました。オーストラリアの牛肉の輸出業者に安全管理の点で問題があったという理由ですが、これは台湾のパイナップルと同様の口実でしょう。

そのほか、オーストラリアのワインが不当に安売りされていて、中国のワイン業者に打撃を与えているという理由で高率の関税をかけられ、さらに大麦にも高い関税がかけられました。

貿易制限措置は農産物にとどまらず、石炭の輸入も停止されています。オーストラリアの輸出のうちの約33%は中国向けです。それが止まるということは、オーストラリアの経済にとっては大打撃になるのです。

モリソン首相の「新型コロナの発生源と感染が広がったことについて独立した調査が必要だ」という主張は、ごく当たり前のことでしょう。それを言っただけで、オーストラリアが貿易でひどい状態になった。膨大な人口を抱える中国は、「世界の工場」であり、「世界の市場」でもあります。世界の国々が、中国を怒らせるとこんなことになるのだ、中国とことを構えないほうがいいな、ということになってくるわけです。

2010年には、ノーベル平和賞の授与をめぐって、ノルウェーが名産のサーモンを輸入禁止にされたこともあります。この年のノーベル平和賞の受賞者は中国人の劉暁波（写真①）でした。劉暁波という人は、

写真①一劉暁波（1955～2017）｜写真提供：共同

著作家で北京師範大学の講師でしたが、天安門事件で捕まった人たちの救出・支援活動をしていました。民主化運動をしている人たちの人権を守るべきだという信念を持ち続け、4度めの投獄中にノーベル平和賞を受賞。服役中のまま2017年に亡くなっています。

このことが、中国にとっては大変な屈辱になったわけです。面子を潰された中国の報復はノルウェーのサーモンを輸入禁止にすることでした。本来、ノーベル委員会はノルウェー政府直轄の組織ではありませんが、嫌がらせを受けてしまったのです。サーモンの輸入禁止は6年間続きました。その結果、ノルウェーは「中国の核心的な問題については批判しない」という協定を結び、共同声明を発表しました。つまり、ノルウェーが全面降伏をしてしまったということですね。その年から、サーモンの輸入は復活しました。

こういうことが起きると、ノーベル委員会が中国当局に刺激を与えるような人を選ぶと、またノルウェーに報復するのではないかと、なんらかの歯止めになりうるよね。

実は2020年のノーベル平和賞は、香港で民主化運動をしている人たちに与えられるのではないかと言われていました。でも、違ったでしょう。受賞したのは誰か覚えていますか?

――国連食糧計画でしたっけ?

正解です。国際連合世界食糧計画は、確かにコロナ禍で非常に困っている国に食料を提供するという意義のある活動をしていて、受賞してなんの問題もありません。だけど、もしかしてノーベル委員会が日和ったのではないか、本当は香港の民主化運動の人たちに与えるほうがよかったのではないか。そうすると、中国がまたノルウェーに経済制裁をする。それを心配したノーベル委員会が、ほかに誰かいないかと忖度したのかもしれないと、私は勝手に推測しています。なんの根拠もありませんが。でも、かつてそんなことがあると、忖度したのではないかと思ってしまうのです。

各国の中国依存度を高めるように習近平が指示

もう一例挙げましょう、今度はバナナです。2012年のことです。フィリピンと中国が南シナ海の領有権をめぐって激しく対立していました。そのせいで、フィリピン産のバナナが中国に輸出できなくなってしまいました。余ったバナナが大量に日本に入ってきて、当時、日本でとても安く売られていたのです。

その後、フィリピンではロドリゴ・ドゥテルテ大統領が誕生しました。ドゥテルテ大統領は独裁的なリーダーとして有名ですが、中国からの援助が欲しいと考え、領有権問題をめぐって当面は争わないと宣言しました。そうしたら、フィリピンは再びバナナを中国に

図表①—**中国の食料による報復の例**

国名	品目	発生年	きっかけ	制裁内容		その後（2021年8月現在）
ノルウェー	サーモン	2010年	劉暁波氏へのノーベル平和賞授与	ノルウェー産サーモンの輸入規制	→	2016年、「今後中国の核となる議題においては批判しない」という旨にサインし、関係回復
フィリピン	バナナ	2012年	南シナ海問題	フィリピン産バナナの検疫基準を厳格化、一時、輸入禁止に	→	2016年、比大統領の「南シナ海領有権問題で争わない」宣言で、輸入禁止措置は解除
オーストラリア	牛肉、大麦、ワインなど	2020年	新型コロナウイルス発生源の調査要求	オーストラリア産食品に不当廉売があったなどの理由で、最大200%超の関税を上乗せなど	→	継続中
台湾	パイナップル	2021年	蔡英文総統の対中強政策	台湾産パイナップルから害虫が確認されたという理由で輸入禁止	→	継続中

台湾産パイナップルの安全性と農家の窮状をアピールする蔡英文総統

写真提供：ロイター＝共同

輸出できるようになったのです。

こういう食品を武器にした貿易制限が積み重なってくると、中国の周りのASEAN（東南アジア諸国連合）のような国々にしてみれば、中国を刺激したら大変だという圧力になってくるということですね（P21図表①）。

2020年の春、習近平国家主席が共産党内の会議で、「各国に経済の対中依存度を高めさせる」と発言していたことがわかりました。中国は、まさにそれを実践しているわけだよね。世界中の国々が、いろんなものを中国の工場に発注しています。中国抜きでは自分の国の経済が成り立たないように中国依存度を高めていけば、中国はいつでも敵対する国に対して経済的打撃を与えることができる。それが今の中国の方針です。

そして、このやり方が中国の安全保障につながるのです。中国抜きではやっていけない、中国と敵対しない国をたくさんつくり出すことが、中国の安全を守ることになると習近平は考えているのです。

――中国が他国に対して輸入を止めたり、関税を高くしたりして嫌がらせをすると、中国国内で輸入を行う会社や、輸入した商品を売る会社が困ってしまうことはないのですか？

いい視点ですね。中国の国内にも輸出する側と輸入する側があるよね。輸入食品で商売をしている業者には当然、打撃になります。だから、違う輸入先を探すわけだよ。オーストラリアから牛肉が入ってこなくなったから、ブラジルから牛肉を輸入しています。

実は、ドナルド・トランプ政権の時に、アメリカから中国への大豆の輸出が止まりました。その時も中国はブラジルから大豆を輸入しています。そうやって、なんとかほかから手に入れようとしています。

もうひとつの対策として、今、中国では大食い禁止キャンペーンを行っていて、消費のむだを減らそうとしています。２０２０年8月に習近平国家主席が食料を食べ残さないようにしよう、むだな大食いはやめようと指示したところ、大食いの様子をネットに載せていたアカウントがすべて消されました。突然、大食いの映像が出なくなったのです。その後、食品の浪費を禁止する法律ができ、違反者には罰金が科されることになりました。

もともと、中国や韓国では、もてなす側は「あなたのために食べきれないくらいたくさんの料理を出します」と並べ、もてなされる側は「食べきれないくらいいただきました」と食べ残すのが礼儀です。それを改めようというわけです。中国では昨年の夏に洪水があちこちで起きて、食料生産が落ち込んだという事情がありますが、それと同時にオーストラリアやほかの国からも、差し止めや高い関税をかけたことで輸入量が減っているため、国内で消費のむだを減らそうというキャンペーンを行っているのです。

ワクチン外交で追いつめられるウイグル人

中国の安全保障につながる行為といえば「ワクチン外交」もそのひとつです。新疆ウイグル自治区の人たちに対する弾圧が国際的な問題になっていることは知っているよね。第3章で詳しく説明しますが、ウイグル人はトルコ系なので、民族的つながりの深いトルコを頼って、トルコに大勢逃げてきたり、亡命したりしています。トルコも従来は、ウイグル人たちを保護していました。では、ここで質問です。

Q 現在のトルコの大統領の名前を知っていますか？

──**エルドアン大統領です。**

すぐに出ましたね。このレジェップ・タイイップ・エルドアン大統領は、2014年に大統領になって以来、独裁化を強めています。エルドアン大統領の野望は、かつてのオスマン帝国（1299～1922年）のような強いトルコになることです。

このエルドアン大統領が、2017年に中国との間で犯罪人引き渡し条約に署名しました。条約に署名したとしてもそれぞれの国で批准（議会で承認）されなければ条約は確定しませんが、この犯罪人引き渡し条約が、近くトルコの国会で批准される可能性があるのです。

犯罪人引き渡し条約が発効すれば、中国の法律に違反した犯罪者だから引き渡せとトルコに申し入れた場合、トルコは引き渡さなければなりません。中国の弾圧を逃れてトルコに逃げてきたウイグル人たちが今、パニック状態になっています。ウイグル人たちが「中国の法律に違反した犯罪人だ」とされてしまうかもしれないからです。

なぜ、エルドアン大統領が犯罪人引き渡し条約の批准を急いでいるのかというと、中国が新型コロナウイルスのワクチンを提供してくれるからです。独裁者というのは、国民の健康よりも経済が大事と考えるものです。トルコも経済活動を優先してロックダウンのようなコロナ対策をぎりぎりまでしませんでした。だから、コロナの感染者、死者が多いのです。そこへ中国がワクチンを提供しますよ、ということになれば助かります。ウイグル人たちを追い出したってかまわないと、エルドアン大統領は考えているのかもしれないのです。

中国は、まさに「アメとムチ」を使い分けています。中国と対立している国には輸入を差し止めるというムチを打ち、中国の言うことをきくならワクチンというアメを与える。そうやって中国の仲間を増やそうとしているのです。

アメリカの中国包囲網作戦

「ワクチン外交」を通じて影響力拡大を図る中国に対し、アメリカのバイデン政権はカナダや日本、EU（欧州連合）に呼びかけて、中国包囲網をつくろうとしています。バイデン大統領が、最初の直接会談の相手に日本の菅義偉総理を選んだでしょう。日本が「最初に会いたい」と熱心に働きかけたこともありますが、アメリカ側にも思惑がありました。

バイデン大統領は同盟国と連携して中国に圧力をかけようとしています。特に、対中国の抑止力として日本に期待している。バイデン大統領は、中国の、香港や新疆ウイグル自治区などでの人権問題や、南シナ海における軍事的な挑発行動を強く非難しています。アジアの同盟国である日本にも、その非難行動に加わってほしかったのです。アメリカは日本に対し、「いちばんに会うから一緒に中国を非難しよう」と誘い、日本はそれを受け入れたのです。

だから私は、アメリカが強い言葉で中国を非難する共同声明を出すことを求めてくるのではないかと思っていましたが、予想どおり中国を名指しで批判し、従来言及したことのない台湾や人権問題にもあえて触れました。

台湾について、共同声明には「台湾海峡の平和と安定の重要性を強調するとともに、両岸問題の平和的解決を促す」と明記されました。日米首脳の合意文書に「台湾」が出てくるのは、日中国交正常化前の１９６９年に佐藤栄作総理とリチャード・ニクソン大統領が出した共同声明以来のことです。

バイデン大統領は、中国のことを「唯一の競争相手」と言いましたが、アメリカと中国が仲間集めをしている様子は、囲碁のゲームのように見えます。囲碁では、黒い石、白い石と交互に置いていき、自分の石で囲んだ広さを競います。「布石」という言葉があるでしょう。これはもともと囲碁の言葉です。最初のうちはわからないのだけれど、ある時突然、その石が活きてきて、一挙に形勢が決まる。それが囲碁の面白さであり、怖さだよね。「布石」は、囲碁用語では序盤に全体の局面を見据えて石を打つという意味ですが、転じて将来を見越して備えるという意味で使われます。今は、アメリカも中国も、布石を打っている。あるいは、布石の効果が出始めたところに思えるのです。

日米豪印が対中国で協力

菅総理がバイデン大統領に会いに行く少し前に、「クアッド（Quad＝日米豪印戦略対話）」

と呼ばれる日本、アメリカ、オーストラリア、インドの首脳会談がオンラインで行われたのを知っていますか？

――はい、ニュースで見ました。なぜその4か国が集まったのですか？

クアッドとは英語で「四つの」という意味ですが、民主主義の価値観を共有する日米豪印の4か国が安全保障などで協力する対中戦略の枠組みです。この4国は、それぞれ中国との間に問題を抱えているという共通点があります。日本は尖閣（せんかく）諸島周辺で中国海警局の船が領海に侵入してきて困っているでしょう。アメリカは中国と覇権争いをしている。オーストラリアは先ほど話したように、コロナの起源の調査をめぐる発言から中国に輸入制裁を受けています。インドは中国と国境をめぐる争いを何十年間も続けています。この4か国で、軍事的にも経済的にも台頭する中国に対抗するため、さまざまな協力をしていこうというわけです。

しかし、インドは、ほかの3国と比べると、4か国の協力に慎重な姿勢です。中国に隣接しているインドは中国を刺激したくありません。クアッドが反中国の軍事同盟的な枠組みになることを警戒しています。それでも、2020年6月に中国と国境を争うヒマラヤ山脈地帯で両国軍が衝突し、インド兵が死亡したことから対中警戒感が増し、クアッドに前向きになりました。インドはクアッドに、中国への一定の牽制効果や、新型コロナウイルスワクチンの提供先拡大を期待しています。首脳会談では、インドの要望で4か国による中国批判はトーンダウンしましたが、アメリカはクアッドに韓国、ベトナム、ニュージーランドを加えて協力体制を強化したいと考えています。

　クアッドは、もともと安倍晋三（あべしんぞう）元総理が、日本とアメリカ、オーストラリア、そしてインドとのさまざまな協力関係の構築を呼びかけたことに端を発し、その後アメリカが賛同して日米共通の戦略になりました。初めての首脳会談は、バイデン政権の呼びかけで実現したものです。軍拡を続ける中国に日米同盟だけで対処するのは難しいので、日米と関係の深いオーストラリアと、成長著しいインドと協力することで、中国

図表②—**対中包囲網**

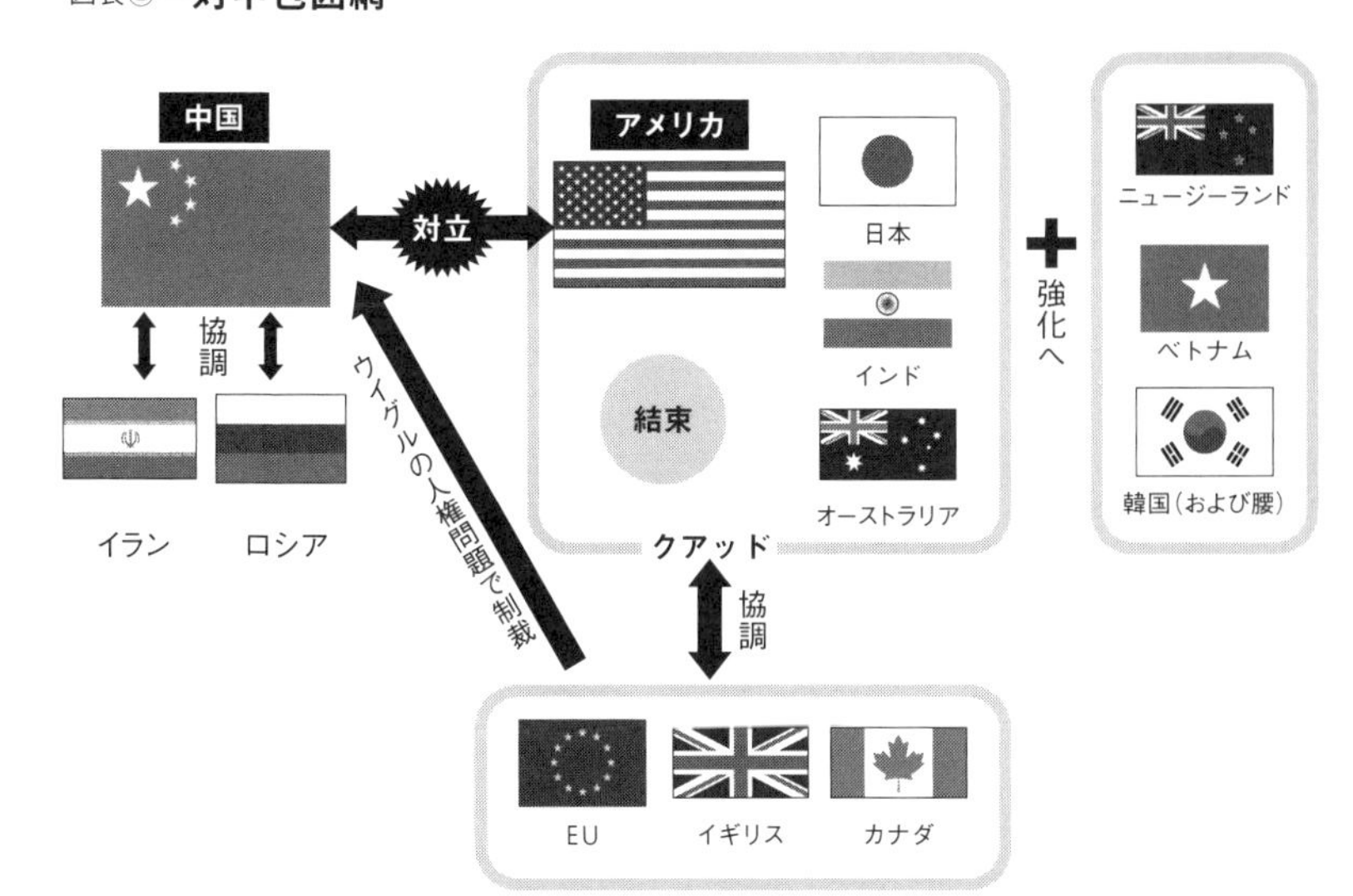

に対抗しようというわけです。

アメリカが同盟国との関係を駆使して中国への圧力を強める体制を築くのを横目に、中国はロシアやイランといった強権的な国や、中国に経済依存する国との連携を深めようとしています。さらに前述したような食料を武器にした貿易制裁措置など、あの手この手を使って、西側の同盟関係の分断もねらっています（P29図表②）。

韓国が中国包囲網に積極的になれないわけ

――韓国はクアッドに参加しないのですか？

韓国は地理的に中国に近く、過去にアメリカに軍事協力をした結果、強烈な報復を受けた経験があって、中国包囲網への協力に消極的です。

前の朴槿恵（パククネ）政権の時に、アメリカの依頼で、北朝鮮のミサイルがアメリカに向かって発射されたらすぐに撃ち落とす高高度防衛ミサイル（THAAD（サード））を韓国に配備してほしいということになり、韓国は承諾しました。ミサイルを設置する土地はロッテが提供しました。

ところが、高高度防衛ミサイルは、北朝鮮のミサイルを撃ち落とすことができると同時に、中国からアメリカに向かうミサイルも撃ち落とすことができるわけです。中国は自国の攻撃用ミサイルが無力化されてしまうという理由で「中国の安全に対する脅威」だと猛反発しました。その結果、何が起きたかというと、中国政府主導のロッテ不買運動が始まったのです。

政府主導の不買運動とは、どういうものなのですか？

中国最大の国営通信社である新華社が「中国はロッテを歓迎しない」との論評を掲載し、「中国の消費者はこのような企業と製品にＮＯと言うべきだ」と、ロッテの製品やサービスに対するボイコットを暗に呼びかけたのです。中国で新華社は政府の代弁者なので、そこからの「ボイコット呼びかけ」は当然、中国政府の意向だと国民にわかるのです。新華社以外の官製メディアも一斉にロッテバッシングを始めました。そのため、中国にあるロッテ関連の商業施設が壊滅的な打撃を受けることになりました。

ロッテに対する攻撃と同時に、中国当局は、韓国は非常に治安が悪いので、安全のために観光で韓国に行かないことを勧めると言い始め、中国国内の旅行会社に韓国ツアーの販売を停止するように指示しました。突然、中国の旅行業者が韓国ツアーをすべてやめるという事態になりました。２０１７年のことだから、まだ新型コロナが感染拡大する前です。

それまで韓国には中国から大勢の観光客が来ていました。中国の観光客が韓国の化粧品をものすごくいっぱい買うわけ。そこで韓国では、中国語ができる要員を大量に採用していました。準備ができた途端、中国からの観光客がまったく来なくなって、観光業にも大打撃を与えるということになったのです。

ちょうどその時、私は韓国に取材に行っていました。繁華街で化粧品を売っているお店の前に、中国語ができる販売員が手持ち無沙汰で立っているという感じでしたね。日本人の観光客が来ると、熱心に話しかけて接客していました。中国人観光客がまったく来ない分、日本人観光客が大歓迎を受けるという状態でした。

つまり、韓国は中国を怒らせると、経済的な大打撃を受けるということを、身をもって知らされたわけだよね。クアッドの首脳協議に先立って、外務・防衛の閣僚協議、いわゆる「2プラス2」でアメリカの国務長官と国防長官が日本と韓国にやって来ました。日本では中国に対する警戒心を露骨に表す共同声明を出しました。しかし、韓国では韓国側が中国を刺激しないでくれと言って、中国を面と向かって批判する共同声明を出すことができませんでした。

また、アメリカが日米豪印のクアッドに加わるように韓国に強く求めましたが、韓国は、中国包囲網の一角を担うことには、消極的な意向を示したとみられています。中国にしてみれば、かつて韓国に経済的な打撃を与えたことがこういうかたちで実を結んだ、ということになるわけです。中国の「布石」が活きていることになるのでしょう。

半導体で反撃するアメリカ

――中国の人口は14億人、世界の人口は79億人です。中国が世界の工場であり、市場となっているのはわかりますが、そこまで中国に依存せずに、ほかに工場や市場になるところがありそうに思うのです。中国に依存しないことはできないのですか？

うん、だから少しでも中国への依存を減らそうとしているんだよね。じゃあ、代わりになるような非常に人件費が安くて、品質のいいものをつくる国がどこにあると思う？

――東南アジアとかアフリカとか。

なるほど。ベトナムやカンボジアやミャンマーでは、もうやっていますが、規模が小さいのです。アフリカでは、まだものづくりができない状態です。アフリカはヨーロッパの国の植民地だった時代、とても虐げられていた。独立してからも、鉱物資源などのいろんな資源をひたすら先進国にとられてしまうだけで、ものづくりの伝統がまったくない。だから、アフリカに工場をつくっても、中国のようにはいきません。ものづくりの基本を最初から教えなければならない。いずれ、アフリカでものづくりができるかもしれませんが、近い将来は絶望的なのです。

中国以外でつくろう、売ろうと言っても、なかなか難しいのが現状です。日本も新型コロナでいざという時に、マスクがほとんど中国頼みだったでしょう。コストが非常に安いからとなんでも中国に任せていましたが、少しずつ中国から切り離そうという動きはあります。でも、まだまだ十分できていない、ということなのです。工場の中国依存については、また5章で詳述します。

――世界の工場として製品をつくっている中国の立場が強くて、何事も主導権を握っているように感じるのですが、中国に弱みはあるのですか?

実はアメリカが、トランプ前政権の時から、中国企業への半導体売却を厳しく制限しています。今や、半導体はスマートフォン(以下スマホ)から軍事産業まで、すべてのハイテク製品に使われていますが、中国は半導体の自給率が低いのが弱点なのです。

TSMC(台湾積体電路製造)という台湾の会社は、現在、世界最大の半導体ファウンドリ(受託生産企業)で圧倒的なシェアを誇っています。アメリカがトランプ前政権の後半になって台湾にエールを送り始めたでしょう。その背景には、台湾のTSMCなどの半導体企業をアメリカ側につけたいという思惑があったのです。

TSMCはアメリカのアリゾナ州に工場を新しく建設中です。あと五つの工場をアメリカ国内につくるのではないか、という報道もあります。日本にも茨城県つくば市に研究開発を目的とした子会社が設立されました。今後、半導体製造工場も国内に建設される見通しです。バイデン政権も、台湾の半導体企業の誘致を継続し、米中ハイテク競争に勝つことを目指しています。

しかし、新型コロナの影響で半導体の生産量が減り、貨物航空便や貨物船の減少などもあって、世界中の半導体の需要に供給が追いつかなくなっています。特に、自動車生産に大きな影響が出ています。実は自動車って、ITをものすごく使っているんだよね。半導体チップをいろいろ使っていて、日本にしても韓国にしても、自動車産業がパニック状態に陥っているのです。

中国の半導体不足はもっと深刻です。通信機器大手のファーウェイ（華為技術）のスマホに使う半導体チップはTSMCが製造していました。アメリカは、半導体製造プロセスでアメリカ原産品目を25％以上使用している製品を、中国のハイテク企業へ輸出することを禁止しています。TSMCはこれに該当するため、ファーウェイに半導体チップを売ることができません。ファーウェイはお手上げです。そこで、今、中国は国内で半導体をつくれるようにしようと必死になっています。

今は、アメリカが半導体を中国に売らないという戦術で、中国に対する経済制裁ができています。でも、短期的にはうまくいっても、長期的には大失敗かもしれないのです。中国は必死になって半導体を国内で全部つくれるようにしようとしている。やがて、数年以内にできるようになるかもしれません。そうなったら中国に怖いものはない、ということになりますね。はたしてアメリカの「布石」は成功するのか、失敗するのか、大注目です。

中国依存を転換したドイツ

次はヨーロッパと中国の関係を見ていきましょう。2021年3月に、アメリカとEU、イギリス、カナダが新疆ウイグル自治区の深刻な人権侵害問題で、中国政府高官と国営安全保障機関に対し制裁を発動しました。欧米諸国が足並みをそろえたわけですが、ヨーロッパの中国との付き合い方は各国によってずいぶん異なります。

Q ヨーロッパで中国と親しい国といえば、浮かぶのはどこですか？

――ドイツ……？

そのとおりです、よくわかったね。

――ベンツとかBMWとか、ドイツの高級車が中国で売れている割合が高いという報道を見た

ことがあるので、経済の結びつきが深いのかなと思いました。

はい、自動車はドイツの産業の柱だよね。2019年に世界で販売したドイツの乗用車がどの国で売れたかというと、メルセデス・ベンツのダイムラーとBMWの3割近く、フォルクスワーゲンの約4割を中国が占めています。乗用車だけではありません。ドイツの企業は中国に大きく依存しています。ドイツにとって中国は最大の貿易相手で、インド太平洋地域での対外貿易の約50%を占めているのです。

ドイツのアジア戦略の中心は中国で、アンゲラ・メルケル首相は毎年のように中国を訪問していました。あのリベラルなメルケル首相が、とちょっと意外な気がしますよね。メルケル首相は旧東ドイツの出身だから、中国の共産党政権を理解しやすいのだ、と言う人もいますが。

ドイツは、これまで中国の「政治」にはある程度目をつむり、「経済」の恩恵を受けてきたのです。しかし、「香港国家安全維持法」の施行や新疆ウイグル自治区の人権問題が浮上して、中国との価値観の違いが埋めがたくなってきました。

ドイツ国内ではメルケル首相は中国に対して弱腰だ、と批判する声が高まります。メルケル首相は引退することが決まっていますが、人権を重んじる緑の党が、2021年9月末に行われた議会選の結果、与党入りすることが確実視されています。緑の党が与党入りすれば、中国に今より強い姿勢で臨むようになるでしょう。

このような状況の中、2020年9月、ドイツ政府は初の「インド太平洋外交の指針」（ガイドライン）を打ち出しました。中国に依存していたアジア政策を転換し、日本や韓国、オーストラリアなど、民主主義やその他の共通の価値観を持つ国との関係を強化する方針です。

――方針転換すると、中国との関係が悪くなって、オーストラリアのように食品などの産物でなんらかの報復をされませんか？

そこだよね、ドイツが恐れているのは。輸入禁止になったり、追加関税をかけられたり、オーストラリアの二の舞にはなりたくない。それに、中国が経済的に重要なパートナーであることに変わりはありません。

アメリカの主導でイギリスやフランスは、5G（第5世代移動通信システム）からファーウェイ排除にかかっていますが、ドイツは排除していません。ドイツは中国を刺激しすぎないようにと考えています。

「一帯一路」構想で中国と組むイタリア

ドイツのほかに、もう1国、ヨーロッパの主要国で、ファーウェイを排除していない国があります。どこかわかりますか？

――？？

わからないのも無理はないよね。それはイタリアなのです。習近平国家主席は「一帯一路」という大構想を打ち出しています。陸のシルクロードと海のシルクロードを改めて現代につくってしまおうという計画です。イタリアはＧ７（先進７か国）の中で初めて中国と「一帯一路」の協力覚書を締結した国なのです。

――イタリアはなぜ「一帯一路」で中国と手を結ぶのですか？

イタリア北東部にトリエステという都市がありますが、この都市が中国の「一帯一路」構想における「海のシルクロード」のヨーロッパでの到達地になるのです。トリエステはかつての冷戦時代に西側陣営と東側陣営とを分断した「鉄のカーテン」の南端にあたります。冷戦が終わって30余年、米中新冷戦と呼ばれる時代になって、再びトリエステが注目されているわけです。イタリア側は、「一帯一路」構想が実現すると港や道路などのインフラ整備、投資や貿易の拡大がもたらされ、約2兆5000億円にのぼる経済効果があると試算しています。イタリアが、中国と仲よくなるわけですね。中国の布石が効いているようですが、イタリアのマリオ・ドラギ新首相は慎重な姿勢を示していて、先行きは不透明です。

ヨーロッパの主要国でいうと、イギリスとフランスの動向が気になりますね。この2国は、アメリカの中国包囲網の仲間に入っています。イギリスとフランスの両国はインド太平洋地域を重視することを表明しています。

イギリスは、インド太平洋地域にイギリス海軍の最新鋭の空母「クイーン・エリザベス」を派遣しました。空母を派遣する理由は、影響力を強める中国に対し、ルールや秩序を守るようにシグナルを送り、牽制するのがねらいです。また、日本やオーストラリアなどの民主主義のパートナーに、イギリスがこの地域の平和の実現に真剣に関わることを伝えるものだとも言っています。

イギリスに続いて、ドイツも日本に海軍の艦船を派遣することを決めました。ドイツも民主主義のパートナーに連帯感を示すためと言っています。

米中に分断された東南アジア

では、今度は東南アジアの国々が、米中の競争の影響でどういう状況になっているか見ていきましょう。この地域は、南シナ海の領有権をめぐって、中国と争っている国があります。さらに、中国が「一帯一路」の沿線国のインフラ整備に次々と融資して、沿線国が「債務の罠」にはまってしまう事態もあって、目が離せない地域なのです。「債務の罠」については後述します。

Q ASEANの10か国を挙げてみてください。

――ベトナム、ラオス、カンボジア、タイ、ミャンマー、フィリピン、インドネシア、ブルネイ、シンガポール、マレーシア。

はい、いいですね。この10か国が正式加盟国です。それと、地図で見ると、オーストラリアのすぐ北にある島の一部に、東ティモールという国があるでしょう。２００２年に独立したばかりの若い国で、経済力も非常に小さいので、ＡＳＥＡＮのオブザーバーになっています。ＡＳＥＡＮの正式加盟国10か国にこの東ティモールを加えた11か国が東南アジアと呼ばれるエリアです。

そして、南シナ海で中国の行為がずっと国際的な問題になっていることは知っているよね。中国は南沙(なんさ)諸島（スプラトリー諸島）のサンゴ礁などを埋め立てて、人工島をつくっていています。そして、南シナ海はすべて中国の領海だと主張し、台湾、ベトナム、フィリピン、マレーシア、ブルネイと、この海域の領有権をめぐって争っているのです。

ＡＳＥＡＮの国々は、宗教も民族も国家体制も違います。中国に対する姿勢にも違いがあります。ラオスとカンボジアは、中国の援助に頼っているので、中国の言いなりです。「ＡＳＥＡＮとして中国に異議を申し立てよう」と何を決議しても、ラオスとカンボジアは反対します。中国に対してＡＳＥＡＮは一枚岩になれないのです。

さらに、中国は「一帯一路」の沿線国のインフラ整備を始めています。日本も発展途上国の経済発展や、福祉向上のために資金を融資していますが、政府開発援助には一定の基準を設けています。たとえば独裁者の利益になるような援助はしません。金利は低くして基準を厳しくしているのです。ところが中国は、よその国の政治体制にはお構いなしで、沿線国にどんどん融資をします。

借金が返せないとどうなるのか。代わりに港などの重要インフラを差し押さえるのです。ひとたび借金をする、つまり債務を負うと中国の罠にかかってしまう。これを「債務の罠」と呼んでいます。モルディブ、ミャンマー、パキスタン、スリランカなどが、債務の罠にかかりました。スリランカは返済不能になってしまったので、中国の援助によって建設された港の運営権を中国に明け渡すことになりました。気がつくと、インド洋からアフリカ、ヨーロッパまでの「一帯一路」の沿線国の一部が借金地獄に陥っているのです。チャイナマネーが世界を席巻（せっけん）していることに危機感を抱いているのがアメリカです。米中貿易摩擦の根源になったという見方もあるのです。
アメリカと中国がそれぞれの味方を増やす様子は囲碁のようだと前述しました。アメリカが中国包囲網をつくると、別の方向に中国が影響力を広げていく。それを繰り返して、世界中に仲間集めが広がっていく。世界規模で囲碁ゲームが行われているような気がします。中国は武器になる食料とワクチン外交を使い分けて、どんどん親中勢力を広げています。結果的に、アメリカやヨーロッパが中国を包囲しようとしても、中国がすり抜けるようにして影響の及ぶ範囲を拡大していく。そういう構造に世界がなりつつあるのではないかと思えるのです。

――中国が、南シナ海を自分の国の海だと主張していますよね。中国が南シナ海で大々的に軍事演習を行うと、日本の海路の大動脈が寸断されるというシナリオはあり得ますか？

理屈としてはあり得ますね。南シナ海は、公海、公の海です。だけど、中国がここは中国の海だ、領海だと言っていれば、そこで軍事演習をして、外国の船を止めることは可能なんだよね。
でも、実は「無害通航権」というのがあって、たとえ中国の海であっても、そこを外国の船が自由に通れるのです。領土というのは、よその国の人が勝手に入ると、とんでもないことになるでしょう。攻撃されても仕方ないわけだよね。海は、領海であってもそこをよその船が通り過ぎることは認められているのです。

だから、たとえば、南シナ海を中国が「ここは中国の海だ」と言っても、日本のタンカーや貨物船がただ通過するだけなら認められます。たとえ軍事用の艦船でも無害通航権で通る時には、国籍を示す旗を出して、戦闘用のレーダーを止めて、敵意がありませんということを示せば、通ることができます。中国がいくら南シナ海は自分の海だと言っても、どこの国の船でも自由に通れるのです。

中国には中国なりの理屈がある

この章の最後に、大事なことを伝えておきましょう。中国は確かに南シナ海や尖閣諸島周辺で、非常に侵略的なことをやっています。だからといって、中国はものすごい侵略国だと決めつけるのはいかがなものか。

中国にしてみれば、かつて義和団の乱（１９００年）の時に、日本とロシアを主力とする列強からものすごく介入を受け、莫大な賠償金を取られた。あるいはアヘン戦争だったり、日清戦争だったり、いろんな屈辱の歴史がある。それがようやくここまで強くなって、アメリカと対等に向き合うことができるようになったのだという自負心が中国にはあるのだということですね。

国際情勢を理解するうえで大事なことは、その国の「内在的論理」を理解するということです。もっと簡単に言うと、その国の国民の立場になってみるということです。これから詳しく話していく新疆ウイグル自治区の問題も、香港の問題も、中国国内の問題なのです。よそから口を出されたくないという思いがある。国際的なスタンダードで言えば、どちらの問題も許されないことで、人権を無視している。でも、中国には、近代以降、列強に支配され搾取されてきた歴史的な背景があるので、外国からいろんなことは言われたくない。そして、国内が分裂しないこと、国内を統一しておくことが、国の安全のためにいちばんだという論理がある。これがまさに「内在的論理」ということです。

それぞれの国に、それぞれの論理があるわけです。それを「中国はひどい国だ」と一刀両断にしないで、中国には中国でこういう理屈があるのだということを知ったうえで、じゃあ、どうするのかということを冷静に考える。国際社会と付き合う時、この姿勢が大事ではないでしょうか。ぜひこのことを念頭に置いて、この本を読み進めていってほしいと思います。

第2章

「新型コロナ対応」から見る中国、台湾

対照的な方法で感染拡大を抑え込む

世界中に蔓延した新型コロナウイルスに対し、各国でワクチン接種が進んでいますが、世界レベルで収束するまでには、まだ時間がかかりそうです。

新型コロナウイルスの感染が始まったのは中国の武漢（ぶかん）でした。武漢の当局は、当初事実を隠ぺいしようとしたため、感染が拡大しました。しかし、感染が拡大すると人口が１０００万人を超える大都市の武漢市を閉鎖し、強硬手段で感染拡大を抑えたのです。

一方、台湾は中国大陸での感染症の発生をモニターし、いち早く新型肺炎の発生をキャッチ。中国と異なり、強権ではなく「民主主義」で感染拡大を阻止したといわれています。

では、民主主義的な手法で、どうやってコロナに立ち向かったのでしょうか？

中国と台湾のコロナ対策にどんな違いがあったのかを比較することによって、現在の中国と台湾の対照的な姿が見えてくると思うのです。

日本で新型コロナのことが騒がれ始めたのは２０２０年の2月になってからでしたね。でも、中国の武漢では前年の12月に原因不明の肺炎患者が何人も出ていたのです。まず、新型コロナウイルスの発生から、中国、台湾がそれぞれ難局にどう対処したかを振り返ってみましょう。

Q 新型コロナで有名になった中国の武漢がどんなところか知っていますか？

――中国の真ん中くらいにあって、経済の発達した大都市だとニュースで知りました。

はい、新型コロナの集団感染が起きたことで有名になりましたが、武漢は長江（揚子江）中流域の中心都市で、湖北省の省都です（P50地図①）。緯度としては、日本の屋久島（鹿児島県）とほぼ同じです。経済的に重要な都市として、政府から大幅な自主権が与えられる「副省級市」にも指定されています。近年は大型の商業施設が多数建設され、躍進めざましい中国を象徴する都市のひとつです。また、経済ばかりでなく、長江に面し、湖や公園の多い風光明媚な観光地でもあります。『三国志』に出てくる有名な「赤壁の戦い」の舞台は湖北省にあって武漢から行きやすく、実は歴史好きな人にも人気の都市なのです。

Q 武漢で最初に感染拡大が起きた場所はどこでしたか？

――市場だったと思います。

正解です。海鮮市場です。最初に感染が広がった「華南海鮮卸売市場」は、約5万平方

地図①―**湖北省武漢市**

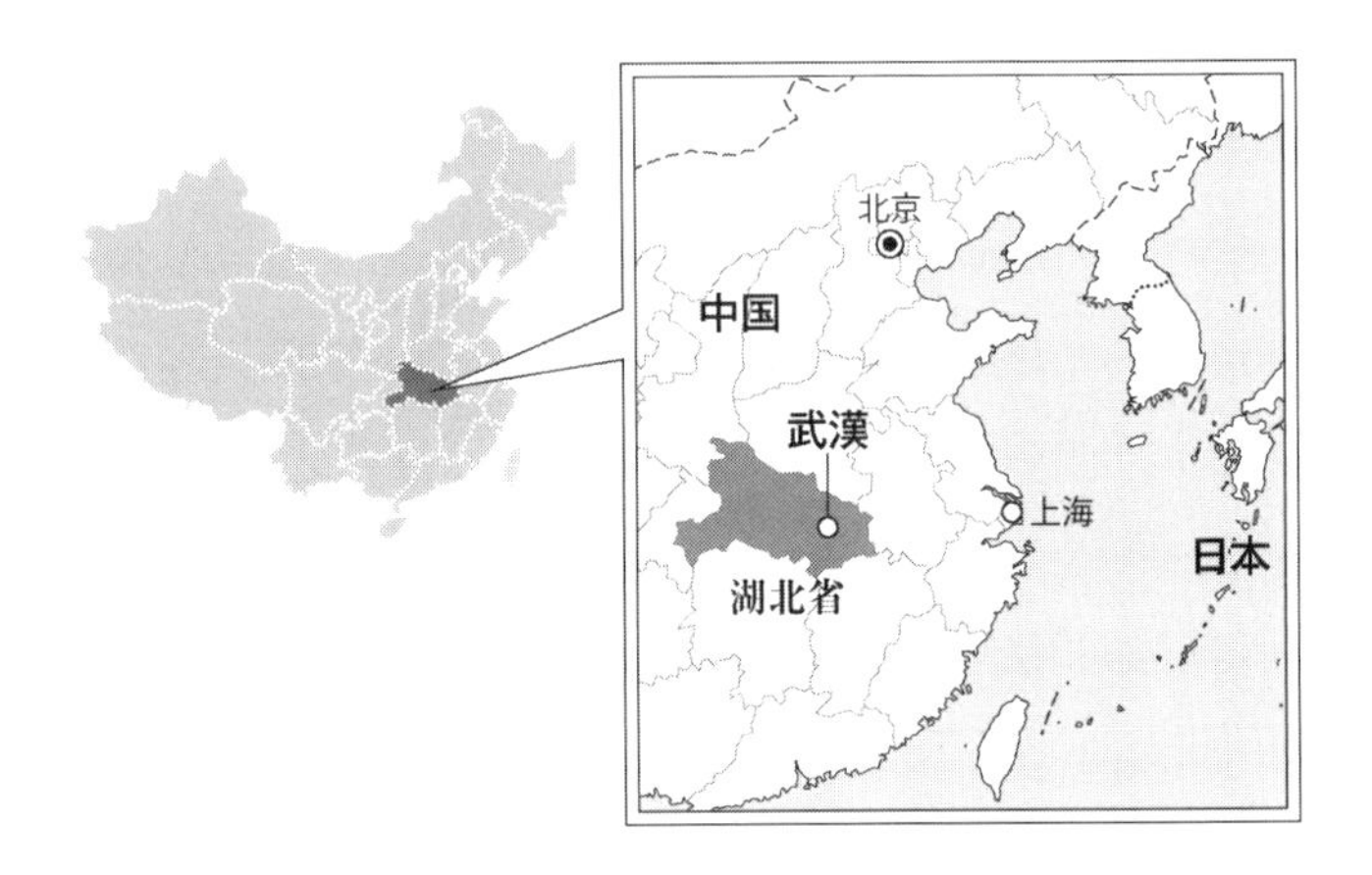

	武漢市概要
位置	湖北省の省都。13の区からなる。中国中部最大の都市で副省級市に指定されている。緯度は日本の屋久島とほぼ同じ
総面積	8494平方キロメートル
人口	約1100万人
気候	亜熱帯湿潤気候で、雨量は多く、日照も豊富で四季がはっきりしている
特徴	「華中」と呼ばれる地域の中心都市で、長江が流れているため古くから交通の要衝として発展した。自動車産業を中心とした中国有数の工業都市で、近年はサービス業の成長も著しい

出典：武漢市ホームページなどをもとに編集部で作成

メートルの敷地に魚介、干物、食肉などを売る店が1000軒以上ひしめく巨大市場です。その市場を中心に、原因不明の肺炎患者が出ていることに武漢市内の拠点病院の医師たちが気づいたのは、2019年の12月、年の瀬も迫ってからのことでした。

12月27日、市場に近い中西医結合病院の医師が、ウイルス性肺炎が疑われる4人の患者の症状を地元の疾病予防コントロールセンター（CDC）に報告。武漢市中心病院でも同日、原因不明の肺炎患者の検体を北京の検査会社に送り、3日後に「SARS（サーズ）」であるという回答を得ました。

封じられた武漢の医師の警告

Q「SARS」という感染症のことを知っていますか？

――私たちが生まれる前、その感染症が新型コロナと同じように世界で感染拡大して死者が出たと聞いたことがあります。

そうか、君たちは高校1年生だから、まだ生まれていなかったのだね。SARSは2002〜03年にかけて中国から海外に広がり、800人近くが死亡しました。新型コロナウイルスと同じようにコロナウイルスの一種による感染症「重症急性呼吸器症候群（Severe

Acute Respiratory Syndrome）」のことで、英単語の頭文字をつなげてＳＡＲＳと呼ばれます。

そもそも、コロナウイルスという名前は、ウイルスの表面に突起のようなものが出ていて王冠（ラテン語でコロナ）のように見えることに由来しています。コロナウイルス自体はそれほど危険なものではありません。通常の風邪の中にもコロナウイルスによるものがあります。しかし、そのコロナウイルスが突然変異を起こし、危険な感染症になってしまったのがＳＡＲＳであり、今回の新型コロナウイルスなのです。

ＳＡＲＳ発祥の中国では、感染者と死者がいちばん多く出ました。そのため、ＳＡＲＳだという検査結果を知った病院の医師たちには緊張が走り、十分注意するように声をかけ合ったといいます。

その中のひとりが、12月30日、ＳＮＳのグループチャットに「ＳＡＲＳにかかった７人の患者が私たちの病院に隔離されている」と書き込んだ眼科医の李文亮（りぶんりょう）氏でした。李医師は、患者と接する可能性のある医師仲間に注意を呼びかけたのです。

この書き込みは、またたく間にネット上で拡散され、ネットメディアが取り上げ始めました。すると、翌31日、市当局は初めて「原因不明の肺炎患者が27人出て７人が重体」と公表。その多くが市場の関係者だと明かしたのです。しかし、この時点ではヒトからヒトへの感染は確認できない、と発表していました。年が明けた１月３日、李医師は「インターネット上に虚偽の内容を掲載した」として警察から処分を受け、その後、自らも感染して翌月の2月7日に亡くなりました。

――医師として、いち早く警鐘を鳴らしたのに、とても気の毒です。

誰もがそう思うよね。感染が拡大して新型コロナウイルスのことが広く知られるようになると、李医師の行動を中国メディアが次々に取り上げるようになりました。結果的に、この肺炎はSARSではなく新型コロナだったわけですが、SNSには「正しい行動だった」「真実を伝えようとしてくれた」などと称賛する声が寄せられました。同時に、当局を糾弾する怒りの投稿があふれ、著名な学者らも李医師の告発を封じたことが感染拡大につながったとして、「感染拡大は人災だ」とする公開書簡を発表しました。

こうした動きに配慮し、中国政府は李医師が亡くなった1週間後に、湖北省トップと武漢市長を更迭。新型肺炎の抑制に模範的な役割を果たしたとして、李文亮氏を含む各地の医師たちと医療組織を表彰したのです。

新型肺炎については、別の医師が中国メディアの取材に応じ、原因不明の肺炎が医師の間で認知され始めた頃、「外部に話したり、メディアの取材を受けたりしてはいけないと言われていた」と口止めがなされていたことを証言しています。また、肺炎患者の存在を公表した12月31日には、日本の厚生労働省にあたる国家衛生健康委員会が全国の医療機関に向けて、新型コロナウイルスに関する情報の拡散を禁止する指示を出していました。

つまり、中国当局は2019年12月末に、ウイルス性肺炎が疑われる患者が何人も出ていることを知りながら隠ぺいしていたことになります。情報を封じ込めている間に、武漢では感染が拡大し、やがて世界に広がっていきました。のちに中国が国際社会から隠ぺい工作の疑いがあると強く非難された原因は、この一連の行動にあるのです。

新型コロナウイルスはどこが起源なのか？

武漢の海鮮市場を中心に発生した肺炎の原因は何か？　中国では、専門家による原因究明の作業が年をまたいで続けられました。そして、2020年1月9日、中国政府は、新型のコロナウイルスを検出したと発表しました（左ページ　図表③）。

そもそも、この新型コロナウイルスは中国が起源なのでしょうか？　中国政府は、中国で感染が広がったことは認めていますが、中国から発生したとは認めていません。海外から輸入した冷凍食品の包装の外側に新型コロナウイルスが付着していた可能性があると言って、国外から持ち込まれたという説を唱えています。

コロナウイルスはコウモリなどを宿主としたあとにヒトへ感染することがあるため、当

図表③ ―**新型コロナウイルス発生からの中国、台湾の動き**（2020年4月まで）

日付	動き	
2019年12月31日	中国	武漢で原因不明の肺炎を検出し、27人の症例を確認とWHOに報告
2020年 1月 1日	中国	武漢の華南海鮮卸売市場を閉鎖・消毒
3日	台湾	緊急事態会議を開催
	中国	当局が原因不明の肺炎患者44例、うち11例は重症でヒトからヒトへの感染の可能性はないとWHOへ報告
9日	中国	武漢市のウイルス性肺炎が新型のコロナウイルスによるものと発表
11日	中国	新型コロナウイルスによる初めての死者
14日	WHO	「新型コロナウイルス」を確認
15日	台湾	政府が新型コロナウイルス肺炎をエボラ出血熱と同等の法定感染症に指定
18日	中国	武漢での夕食会に4万世帯以上が参加。このことで感染が拡大
20日	中国	専門家がヒトからヒトへの感染を認める
21日	台湾	初めての新型コロナウイルス感染者を確認
22日	中国	国家衛生健康委員会は新型コロナウイルス肺炎症例は累計で440例、死亡が9例と発表
23日	中国	湖北省政府が武漢市を事実上封鎖
30日	WHO	国際的な緊急事態を宣言
31日	台湾	マスクを中央政府の管理下とする
2月 1日	中国	全土で累計感染者数が1万人、死者数も250人を超える。ほぼ中国全地域で春節（旧正月）休暇の延長と外出を自粛するよう指示
6日	台湾	中国全土からの入境を禁止。デジタル担当のオードリー・タンの指揮によるマスク購入の実名制を開始。在庫状況などがインターネットで確認できる仕組みを導入
7日	中国	いち早く新型コロナウイルスの危険性を報告していた武漢の李文亮医師が新型コロナウイルス感染により死亡
3月10日	中国	新型コロナウイルス感染拡大後、初めて習近平国家主席が武漢入り。「ウイルス蔓延の勢いは基本的に抑え込んだ」と発表
11日	WHO	パンデミック（世界的大流行）を宣言
4月 1日	台湾	公共交通機関でのマスク着用義務化
7日	日本	東京、神奈川、埼玉、千葉、大阪、兵庫、福岡に緊急事態宣言発令
8日	中国	武漢の封鎖措置を解除
11日		世界の死者数が10万人を超える
17日	中国	武漢市の死者数は3869人と、当初の発表より1290人増の大幅訂正
23日	中国	WHOに32億円を寄付すると発表

初は市場で売られていた野生動物が発生源ではないかと疑われました。しかし、市場の野生動物から採取された検体からウイルスは検出されませんでした。

中国政府は4万人の感染者へ聞き取りした結果などから、確認できる中で最も早い発症は2019年12月8日だと認定しています。しかし、その男性は「市場には行っていない」と証言。それなら、華南海鮮卸売市場にはヒトからヒトへの感染で入ってきた可能性も出てきます。中国はこれを根拠に、新型コロナウイルスは海鮮市場の集団感染より前にほかの場所で発生していた、という立場を取っています。

アメリカのトランプ前大統領は「武漢のウイルス研究所から拡散した」と主張し、中国が激しく反論しましたね。また、世界各地の専門家たちが、最初の感染は2019年の秋や夏までさかのぼると推定する論文を書いています。結局、さまざまな仮説があるものの、今にいたるまで、新型コロナウイルスの起源は解明されていないのです。

その後、バイデン大統領は「武漢のウイルス研究所から拡散した」という情報が正しいかどうか、情報機関に確認するように指示しました。中国は否定していますが、その疑いが今も続いているのです。

――WHO（世界保健機関）の調査団が海鮮市場に来て調査したというニュースを見ましたが、成果はあったのですか？

確かに、2021年1月末に、WHOの調査団が最初に集団感染を確認した華南海鮮卸売市場にやって来て調査しました。でも、市場閉鎖から1年以上たっていて、中は消毒もされていたため、ウイルスの起源やヒトへの感染を仲介した動物の手がかりは得られませんでした。

――コロナがどのように発生したとか、どういうふうに感染するとか、ニュースを見ているとさまざまな仮説が出てきますよね。正しいのか正しくないのか判断しづらいです。仮説がたくさんある中で、一つひとつにどう向き合っていけばいいのでしょうか？

なるほど。これは本当に大人にとっても、みんなにとっても重要な問題だよね。メディアの報道では「こういう説を言っている人がいます」とか「専門の学術雑誌に発表されました」とか言うよね。その時、すぐに「そうなんだ」と思わないで、あくまで仮説として提出されたにすぎない、あるいは、一部の専門家が学術雑誌に出してもいいと判断したけれど、みんなが認めているわけではないという、そういう冷静な受け止め方をすべきだと思います。

さらに言うと、細胞生物学のウイルスに関しては、本当に権威のある学術雑誌というのが世界に三つくらいあります。そういう雑誌では掲載する前に、必ずその分野の専門家に読んでもらって載せていいかどうかを判断してもらいます。これを「査読（さどく）」といいます。

だから、研究者は権威ある学術雑誌に自分の論文が載ると、認められたと大喜びするわけです。

査読には通常1年くらいかかりますが、新型コロナは究明が急がれるテーマなので、学術雑誌でも査読なしで、ネットにおいて、とりあえずこんな研究成果が出ています、論文は全部掲載しますというやり方をしています。だから、新型コロナに関しての仮説は、まさに玉石混交（ぎょくせきこんこう）の状態になっているのです。

それでも、日本の新聞やテレビでニュースになる場合は、日本の専門家に報道するに値するレベルかどうかを確認して出しているので、あまりとんでもないものは出てきませんが、冷静に受け止める姿勢は保つべきです。

そういう意味で言うと、いちばんとんでもなかったのは、大阪府知事の「ヨードのうがい薬で口の中のウイルスが減る」という発表でしたね。ヨードのうがい薬が買われて薬局から消えてなくなったでしょう。あの時の発表の元となった資料をよく見ると、うがいをしなかった人とヨードでうがいをした人の口の中を調べたら、ヨードでうがいをした人の口の中のウイルスがこれだけ減っていました、だからヨードがいいですという内容でした。

この調査を学術的にやるなら、何もしない人、水でうがいをした人、ヨードでうがいをした人の3種類を比べるべきです。水でうがいをしただけでも口の中のウイルスは減ります。それをしないで、何もしない人と比べてヨードは効果があります、というのはまったくあてになりません。このように、冷静に考えれば専門知識がなくても信じていい情報なのか、そうでないのかわかる場合もあります。だから、メディアに出てくる一つひとつの情報をうのみにせず、冷静に考えてみてください。

大勢の唾液を混ぜて一度に調べる中国のPCR検査

では、中国の話に戻りましょう。中国は初動の遅れで感染を拡大させましたが、2020年1月20日に新型コロナウイルスがヒトからヒトへ感染することを専門家チームが発表し、習近平国家主席が、全力をあげて拡大を阻止するという「重要指示」を出すと、とてつもないスケールとスピードで感染抑制に乗り出しました。

わずか3日後に、感染者の多い武漢市をロックダウン（都市封鎖）してしまいます。武漢市の人口はおよそ1100万人。東京都が1400万人弱だから、東京に近い大都市をロックダウンしちゃったわけだよね。イメージで言うと、多摩川と荒川と、山梨側の山を結ぶ線で全部封鎖して、突然、人々が一切東京都から外に出られないように、あるいは東京に入れないようにした。もし出ようとすれば逮捕されてしまうと想像してみてください。

市内の地下鉄、高速鉄道、航空便、高速道路などの交通網は遮断。住民の外出は厳しく制限されました。

しかも、武漢市というと、日本の「市」のスケールで考えがちですが、武漢市は広島県より少し広いくらいの面積があります。それだけ広くて人口1100万の大都市を約2か月半ロックダウンしたのだから、すごいでしょう。この強硬手段によって、中国はウイルスの封じ込めに成功しました。

今、中国では感染者が少ないようです。これもまた本当だろうかと疑う人がいますけど、散発的に感染者が出ると、そのたびに地域全体をロックダウンして全住民にPCR検査をするという手法を取っています。日本ではなかなかPCR検査が進まないことがずっと問題にされてきましたね。でも、中国は数十万人単位の都市なら1日でPCR検査が終わってしまう。なぜかというと、PCR検査の方法が日本とは違うからです。

中国では、100人単位、あるいは数百人単位で検体の唾液を混ぜて一度に調べ、結果が陽性の時だけ、一人ひとり調べ直すのです。このように複数の検体を混ぜて調べるやり方を「プール方式」と言います。感染者が少ないほど調べ直す機会が少なくてすみ、検査規模を拡大しやすい。逆に、濃厚接触者など感染が疑われる人の集団に用いると、検査し直す手間が増えてしまう。そのため、感染者がほとんどいないと見込まれる集団に適した検査方法です。

中国では、現在感染者が少ないので、感染者が出たら、そのたびに市や町の単位で全員がＰＣＲ検査を受けています。プール方式は陽性と判定する精度が一般的には落ちるのですが、大勢を一度に検査できるので、無症状の人まで検査が広がり、隠れた感染者を見つけるのに有効です。うまく使えば時間とコストも減らせます。

――日本もそういうＰＣＲ検査をしたら合理的だと思うのですが……。

日本では、ＰＣＲ検査をひとりずつ実施してきましたね。検査を受けるのは、症状のある人や濃厚接触者が多かったからですが、無症状の人から感染拡大する場合もあります。そこで、厚生労働省は、２０２１年になってから、感染の流行地の病院や高齢者施設などに対象を限って、行政検査でも「プール方式」を使えるようにしました。ただし、厚労省の指針では検体を混ぜるのは5人分を基本としていて、中国のような大規模なものではありません。中国のやり方を参考にして、それが日本で可能かどうか検討しながら進めている、という状態です。

コロナ専門病院に最先端技術の5Gネットワーク

さらに中国が世界を驚かせたのは、武漢に臨時の新型コロナ専門病院をわずか10日で2院建設して診療を始めたことです。ユーチューブ（YouTube）などで、着工から完成までの様子をまとめた動画を見た人もいるのではないかな？

――はい、見たことがないくらい多くの重機が動いているのがすごかったです。

たくさんの重機が休みなく動き回って、少しずつ病院ができていく建設現場の様子は、中国で5Gを通じて24時間生中継され、国民的人気コンテンツになりました。実は中国には、SARSが流行した時、北京に臨時専門病院を1週間で建設した実績がありました。その時の設計チームが招集され、72時間で設計を完成させたといいます。長期間使用するわけではない仮設病院とはいえ、用地、資材、重機、労働力、医師・看護師などを短期間で調達するのは至難の業です。共産党が経済を統率し、超法規的にものごとを進められる中国政府だから実現できたといえるでしょう。

新型コロナ専門病院の「火神山医院」は1000床、「雷神山医院」は1600床の体制でスタートしました。注目すべきは、最先端技術の5Gネットワークが導入され、遠隔医療を実現したことです。

通信機器メーカーのファーウェイが提供したスマートディスプレイ、クラウドを利用した高画質スマートビデオ会議システムによって、北京や広州などの専門家が解像度の高い映像を見て診察し、現場の医療スタッフを補助する遠隔診療体制が整いました。診療の効率と質を上げ、現場の医療スタッフの負担軽減ができたといいます。

高速、大容量、多数接続を特徴とする5Gは、中国では2019年11月から商用化が始まっていましたが、新型コロナ対策を講じる過程で整備が加速されました。武漢では、2病院以外にも5Gネットワークが張りめぐらされ、感染した軽症者を収容するために体育館などの施設を転用した「コンテナ病院」では、5Gに接続された医療ロボットが登場し、体温測定や医薬品の運搬を行いました。

また、スピーカーを搭載した5Gドローンが住宅地などを巡回し、マスクを着けていない人を発見すると家に追い返すシステムも登場しました。ユーチューブやテレビニュースを通じて話題になりましたよね。地方によっては、サーモグラフィーを搭載したドローンで住民の体温を測ったり、消毒剤を散布したりするところまでありました。

ちなみに、日本でも2020年から5Gの商用化が始まりましたが、カバーしている都市は少なく、現行の4G並みに全国どこでも利用できるようになるのは2025年前後といわれています。

個人の行動を監視する「健康コード」

中国の感染症対策に導入された次世代技術は5Gだけではありません。AI（人工知能）やビッグデータも活用されています。たとえば、患者の肺のCT画像から新型コロナ感染の疑いがある画像をAIが検出する技術を、中国のIT企業アリババ（阿里巴巴集団）のグループ会社が開発し、広く使われています。

ビッグデータの活用といえば、新型コロナを機に中国で普及したのが、スマホアプリの「健康コード」です。もともと、地方政府から要請を受けてアリババが開発したもので、全国で使われるようになりました。「健康コード」は、簡単に言えば、ウイルス感染に対する「安全度」を判定し、表示するアプリです。本人が申告した体温や健康情報、GPSから取得した移動情報などをビッグデータで解析し、感染リスクを3段階に分けて表示します。

「緑（危険度は低い）」「黄（中くらい）」「赤（高い）」の3段階で、交通信号の色と同じですね。「緑」が表示されれば、域内は自由に外出できます。「赤」は14日間、「黄」は7

日間の自宅隔離などを求められます。

　都市によって運用には少しずつ違いがあります。交通機関や商業施設の利用に健康コードの提示、スキャンを義務づけている都市もあれば、推奨にとどめている都市もあります（写真②）。中国の都市では、街のいたるところに自己申告用バーコードがあって、たとえば地下鉄に乗ると、車内のあちこちに二次元バーコードが貼ってあるので、それをスマホでスキャンします。すると「何月何日、何時何分に、地下鉄何号線の、どの車両のどの位置に乗ったか」が情報として蓄積されます。バスやタクシーも同じ。このような自己申告用バーコードは乗り物以外にも、建物や公園などあちこちにあって、自発的に「居場所登録」するこ

写真②―ショッピングセンターの入口でスマホを使ってバーコードを読み取る中国市民
｜写真提供：新華社／共同通信イメージズ

とが呼びかけられています。

一人ひとりのスマホの履歴を全部当局がチェックして、感染防止に役立てているわけだよね。それぞれの人がどう歩いてどこへ行ったのか、全部当局が把握している。ということは、健康以外のことにも利用することも考えられるよね。仮定の話ですが、反共産党集会がどこかで開かれたという情報を得たら、当局は全員のスマホで移動履歴を見て、その時間その場所に一定時間いた人をすべて洗い出して監視対象にすることができるかもしれない。

案の定というか、健康コードを新型コロナウイルス感染期の一時的なツールで終わらせるのではなく、市民の身分証明のアプリとして長期的に存続させる方針を打ち出す地方政府も出ています。コロナ禍とともに誕生した「健康コード」が、国家統一の身分証と並ぶ個人情報管理のツールになっていくのでしょうか。

感染拡大を防ぐためには、徹底的に一人ひとりを監視するシステムが有効です。それが高度に整備されていれば感染症の拡大を防ぐことができる。それを究極まで進めているのが現在の中国です。街の中で感染者が出たら、とにかく街から出さない。徹底的に当局が管理する。一部の地方では、発生源の湖北省からの来訪者を通報したら報奨金を出す制度も設けられました。これは人権の問題があるわけですが、中国は、共産党支配による強権と監視、そして最先端ＩＴ技術を使って、新型コロナウイルスを抑え込んでいるのです。

台湾がスピーディに情報を得られた理由

今度は台湾に注目してみましょう。今回のコロナ禍では、台湾の初動と対策が際立っていました。日本でも、台湾がいち早く新型コロナを抑え込んだ理由や、活躍した大臣などのことが報道されました。台湾の対策で、どんなことを知っていますか？

――**天才ＩＴ大臣といわれるオードリー・タン（唐鳳）が中心になってマスクの配給アプリやシステムを開発しました。**

やっぱり、オードリー・タン氏がいちばん有名になったから、みんなよく知っているようだね。トランスジェンダーであることを告白し、性を超えて自由人として生きていることでも注目されました。でも、マスクの配給の前に、中国の武漢で発生した肺炎にいち早く着目した人物や、新型コロナ対策の最前線に立った対策本部で「鉄人」と呼ばれた指揮官の存在も見逃せません。何より、今回の成功の裏には、２００３年に台湾を襲ったＳＡＲＳの時の手痛い失敗経験がありました。その失敗に学んで、コロナウイルス対策を準備していたからこそ、今回の成功があるのです。では、新型コロナに台湾がどう対応したのか見ていきましょう。

Q 中国の武漢で、最初に原因不明の肺炎患者が出ていることが公表されたのはいつでしたか？

――2019年の年末です。

そうですね。2019年の大晦日、12月31日でした。台湾では過去に豚コレラやSARSなどの感染症が中国から侵入してきた経験から、中国の感染症情報を常に監視しています。たとえば、世界の中国語圏で8億人のユーザーがいるという中国版ツイッターの「ウェイボー」（Weibo＝微博）や、中国国内のSNSにも接触できる台湾最大の電子掲示板「PTT」で、感染症に関する発言やキーワードが出てきたら、それをいち早くチェックしています。

12月下旬、中国のネット上で突如「SARS」という検索ワードが急上昇していました。台湾の保健衛生を担当する疾病管制署（以下台湾CDC）の羅一鈞（らいっきん）副署長は、中国と台湾のネットを注意深くモニターしていたところ、12月31日の未明に、武漢市衛生健康委員会が発した1枚の通達を見つけます。市内の海鮮市場で原因不明の肺炎患者が出ているので、類似する肺炎患者がいないか市内の医療機関に確認を求める内容でした。

羅一鈞副署長は、信憑性が高いと判断し、別ルートで得た「武漢市で27人の感染者が確認され、うち7人が重体」という情報とともに朝までにレポートにまとめ、自分が所属する衛生福利部に提出しました。この羅一鈞氏は医師で感染症予防の専門家でもあります。SARSで感染症対策の難しさを実感した台湾は、アメリカ疾病予防管理センター（米CDC）の全人員の1割が医師であると知り、台湾CDCでも医師を採用して、毎年米CDCへ派遣して訓練を受けさせていました（防疫医師制度）。羅一鈞氏も、この制度のもとで採用された医師で、世界の感染症の最新情報を収集していました。

緊急レポートによって、台湾政府がすぐに動き出します。その日の午後には関連部署のトップが集まる緊急閣僚会議が開かれて、検疫体制の強化、WHOへの通報、中国への問い合わせなどが行われました。ちなみに、日本では台湾から遅れること3週間、1月21日になって「新型コロナウイルスに関連した感染症対策に関する関係閣僚会議」が開かれています。中国がヒトからヒトへの感染を認めた翌日でした。初動の差は明らかですね。

強力な権限を持つ「中央感染症指揮センター」

台湾はその後も独自の対策を次々と行っていきました。その中心になったのが1月になって開設された対策本部「中央感染症指揮センター」（以下指揮センター）です。常設の部署ではなく、公衆衛生上重要だと判断された時にその都度設置されます。要するに、感染症を抑え込むために必要なら、あらゆることを同センターが指揮して行うことができる強い権限を持つ司令塔です。台湾ＣＤＣの職員を中心に構成され、その権限は、台湾当局の各機関や民間団体の指揮・指導、防疫関連機関への資源・設備・人員の調達や統合といった広い範囲に及びます。

――強権を持つ司令塔と聞くと、非民主的な印象を受けますが……。

強権を持っているのは、未知の感染症が発生した時に、指揮系統を一本化して迅速に対応するためで、非民主的な組織ではありません。指揮センターは、やはりＳＡＲＳの時の教訓から生まれたシステムです。ＳＡＲＳの時には、中央政府と地方政府の意見の不一致から対策がうまくいかないこともありました。政府の各部門から必要なスタッフが集まって対策チームをつくり、中央と地方、各省庁を横断的に指揮・指導できる組織が必要ではないか。台湾はＳＡＲＳの教訓から20年近くかけて、法整備や人材育成など、一つひとつ足りないものを埋めながら防疫体制を準備してきたのです（Ｐ80図表④）。

そして、指揮センターのトップを務めたのが陳時中（ちんじちゅう）氏です。陳氏はもともと歯科医師で、衛生福利部長です。指揮センターでは衛生福利相、日本でいえば厚生労働大臣にあたる立場で指揮を執りました。指揮官として超多忙ながら毎日記者会見を行い、それこそ不眠不休で対応したことから、「鉄人大臣」と呼ばれました。

連日の記者会見で発する言葉からは、陳氏の飾らない人柄と人々に寄り添う姿勢がうかがえて、台湾で絶大な人気を誇っています。2月4日に武漢から台湾へチャーター便で帰って来た人たちの中に感染者がひとり出た時、陳氏は「感染者が増えるのは望ましくありませんが、台湾に帰すことで患者の命を救える可能性が高くなったのです。医療界にいる私たちが全力を尽くして患者を助けます」と発言。記者会見の途中で言葉を詰まらせ、ハンカチで涙をぬぐいました。

連日感染者や死者の数を見ていると、麻痺していって単なる数字になってしまいがちです。でも、一人ひとりがかけがえのない命です。陳氏がひとりの感染者に同情し、涙を流したことが人々の共感を呼びました。

陳氏は感染が拡大した中国・武漢との往来を素早く遮断します。1月23日に武漢市が封鎖されると、台湾は1月26日に武漢のある湖北省の住民の入境を禁止しました。また、湖北省から戻った人の渡航歴を健康保険証のICチップに記録する仕組みをつくりました。この仕組みによって感染リスクの高い人を素早く判別し、病院などでの感染拡大を未然に防いだのです。さらに、2月6日には、防疫対策をレベルアップし、湖北省に限らず中国に居住する中国人すべての入境を禁止しました。

日本はどうだったかというと、旧正月の春節連休（1月24～30日）に中国人を受け入れ、台湾から6日遅れの2月1日になって、湖北省に滞在歴のある外国人の入国拒否を開始。中国全土などからの入国拒否を開始したのは4月3日と、台湾の措置から約2か月後のことでした。

これだけ、中国からの入国者を遮断する時期に差が出たのには、単純に日本が遅れたわけではなく、いくつかの理由が考えられます。台湾の蔡英文総統は、中国が台湾との統一を果たして台湾を香港のような「一国二制度」にしようという考え方を拒否しています。そのため中国との政治的関係は険悪です。中国は2019年8月から台湾への個人旅行を停止していました。中国人があまり来ていなかったから素早く遮断できたし、感染者も少なくてすんだという見方もできるわけです。

一方、日本はどうだったかというと、この頃、安倍政権は習近平国家主席を国賓として招こうとしていました。そのため、早い段階で入国を遮断して中国の機嫌を損ねたくなかったのではないか、とどうしても考えたくなります。

入国拒否の開始が遅れたもうひとつの理由は、春節のインバウンド需要です。中国人観光客が来てくれないと日本の観光業は経済的な打撃を受けます。あの頃の日本の雰囲気は

「感染が広がるのは困るけど観光客には来てほしい」という感じだったのではないでしょうか。当時は政府だけでなく、私たちの感染症に対する危機感がまだ薄かったのかもしれません。

――今回の新型コロナウイルス対策で、台湾は日本をどう見ているのでしょうか？

歴史の授業で学んだと思いますが、台湾は日清戦争で日本が勝利してから太平洋戦争で負けるまで、半世紀にわたって日本の植民地でした。日本が初めて海外に持った領土だったため、日本は一流の人材を送り込んで、灌漑(かんがい)を進めたり、台北(たいほく)帝国大学をつくって教育に力を入れたり、衛生状態をよくしたりしました。台湾と日本の歴史的関係については、既刊の『池上彰の世界の見方　中国・香港・台湾』で詳しく解説しているので、興味のある人は読んでみてください。

日本の台湾統治についての歴史的な評価はいろいろありますが、日本が台湾の近代化に貢献したことは間違いありません。台湾の高校の教科書にも、このことは客観的事実として記述されています。衛生状態が急激によくなり、トイレから出たら手を洗う習慣がついたと、わざわざ書いてあります。もちろん、日本語を強制されたとかマイナスだったことも冷静に書いています。日本が衛生観念を台湾に持ち込んだと学んでいる台湾の人たちは、その日本が今回新型コロナウイルスの感染拡大を早期に止められなかったことに驚いています。

――台湾は、中国の感染症情報を独自にモニターしていたから中国の発表前に新型コロナウイルス対策をスタートできましたよね。日本も、中国から観光客がいっぱい来るわけだから、独自のモニターシステムを取り入れたらいいと思うのですが。

まったくそのとおりですね。私が知るかぎり、そのモニター対策ってできていないのです。今、日本で密かにやっているかどうかわかりませんが、中国に関してモニターする仕組みをつくる必要があると思います。

オードリー・タンに見るデジタルの活かし方

日本ではマスクが買い占めなどで店頭から消え、長期にわたってマスクが手に入らない状態が続いてしまいました。台湾では、健康保険証のＩＤ番号でマスクの購入履歴を管理する実名購入制が導入されました。健康保険証を見せれば、それについているＩＣチップにデータを書き込むことによって、週にひとり2枚まで買えるようにしたのです。

市民にマスクを均等に配布することを可能にしたのが、「天才ＩＴ大臣」として多くのメディアで称賛されたオードリー・タン氏（左ページ　写真③）です。どの薬店にどれだけマスクの在庫があるのかリアルタイムでわかるアプリを開発したことで有名ですね。当初、オードリー氏がまるでひとりでつくったかのような報道もありましたが、そうではないのです。

台湾でもマスクが手に入りづらくなった時に、インターネットに詳しい人が、グーグルマップをもとにマッピングして、マスクを売っているコンビニや薬店がわかる仕組みをつくってネットで公開したところ、これはすごいぞとなった。それを知ったオードリー氏が、台湾政府としてどこにどれだけ出荷したかというデータを公表するので、それに基づいて、どこでマスクを買えるかわかる仕組みをつくってください、とネット上でオープンに投げかけたんだよ

写真③―**オードリー・タンのプロフィール**　｜写真提供：CTK／時事通信

オードリー・タン（唐鳳）

1981年生まれ、台湾のデジタル担当大臣。幼少期から独学でコンピュータプログラミングを習得。「学びたいことはインターネットで学べる」と中学を退学し、15歳で起業。19歳の時に米シリコンバレーでソフトウエア会社を設立。その後アップル社などの顧問を歴任し、33歳でビジネスからの引退を宣言。台湾史上最年少の35歳で入閣した。新型コロナウイルス対策でマスクの在庫を確認できるアプリを3日で導入し、「天才IT大臣」と話題になる。

ね。その結果、インターネットとＩＴに能力のある人たちが自発的に協力し合って、どこに行けばマスクが買えるか誰にでもわかるようなシステムができたということなのです。政府がインターネットなどに公開したデータを活用し、市民が利用しやすいアプリやサービスを開発する人をシビックハッカー（civic hacker）といいます。オードリー氏はもともと天才プログラマーとして有名で、シビックハッカーとしても行政に貢献していました。今回のマスクマップもオードリー氏と多くのシビックハッカーたちが開発したのです。

さらに、オードリー氏が陣頭指揮を執って、インターネットでマスクを予約販売するサイトもできました。このサイトで事前に本人登録を行ってマスクを予約すればコンビニなどで受け取れます。世界でコロナ禍が深刻化する中、台湾ではとにかくマスクは手に入る、という安心感を社会にもたらしました。

オードリー氏は、「中国では政府が国民を監視するためにインターネットが使われている。台湾においては、人々が政府を監視するためにインターネットが使われなければならない」ということを言っています。インターネットの使い方で、独裁体制と民主主義の大きな違いが見えてきますね。

――オードリー・タンさんはトランスジェンダーを公表していますが、日本ではまだ偏見が結構多いように思えます。この偏見はだんだんと少なくなっていくと思われますか？

台湾ではオードリー氏の活躍もあってか、このところ急激にトランスジェンダーに関する偏見がなくなってきたように思えます。身の回りにトランスジェンダーの人がいるようになると、次第に偏見がなくなってくるのではないでしょうか。ちなみに、アジアで最初に同性婚を認めたのは台湾なのです。

アメリカでは共和党の有力な議員が、同性愛なんて絶対許せないと言っていたのですが、娘が実は同性愛者だとわかった途端、態度ががらりと変わったという例もあります。

日本では、2021年3月に札幌地方裁判所で同性婚を禁じた民法は憲法違反であるという判決が出ました。あくまで、地方裁判所レベルで出た判決なのですが、海外のメディアは、アジアで台湾に続いて日本が同性婚を認めたと報道していましたね。日本でもやはり少しずつカミングアウトする人が出てきて、受け入れられるようになっていくのではないかなと思っています。

――台湾の場合、2003年のSARSの時の失敗があったから、今回の新型コロナにしっかり対応できたという話が多かったと思います。台湾はSARSの時どんな失敗をしたのですか？

まさに、これからその話をするところでした。台湾がSARSにどんな対応をしたのか、2003年に戻って見てみましょう。

ＳＡＲＳで台湾はどんな失敗をしたのか

台湾で初めてＳＡＲＳの患者が出たのは２００３年3月のことでした。中国に駐在していた男性が台湾に戻ってきて発症したのです。その後、衛生当局の調査によって、この男性からの二次感染者を含む28人の感染が確認され、彼らの接触歴を追跡し、感染者の隔離も行いました。ところが、初動でやるべきことはやったと思った直後、台北市の和平病院で院内感染が発生します。

きっかけは、4月上旬に台北に住む女性がＳＡＲＳに似た症状を訴えて和平病院で診療を受けたことだったといわれています。検査をしたところ陽性だったので、医師は疾病管制局（現疾病管制署）へ報告しました。すると疾病管制局は、その女性に海外への渡航歴、感染者との接触歴がないことを理由に、「ＳＡＲＳではない」という判断を下したのです。実際には、その女性は電車の中で感染者と接触していて、検査結果のとおりＳＡＲＳ患者だったのですが、当時は特定することができませんでした。

和平病院は、ＳＡＲＳではないという連絡を受けて、女性を隔離せず警戒を緩めました。これにより、院内の医療従事者7名が感染してしまいます。

Q 和平病院で院内感染が起きた事実を知って、台湾当局はどうしたと思いますか？

――あわてて、SARSの患者と彼らと接触した医療従事者を別の場所に隔離させた？

台湾当局は感染拡大を防ぐために、和平病院を丸ごと強制的に封鎖したのです。院内には、十分な感染症対策も取られないまま、患者とその家族、医療スタッフ1300人以上が閉じ込められたのです。勤務を終えて家に戻っていた医師や看護師も呼び戻されて病院に収容されました。つまり病院の中に感染者を増やしたとしても、病院だけで感染を終わらせようとしたのです。

君たちは生まれていなかったけれど、当時、和平病院のことは日本でも大きく報道され、テレビニュースには、窓に「助けて」「家に帰りたい」と紙に書いて訴える人たちの様子が映し出されました。2週間の封鎖で、患者とスタッフ154人の感染者を出し、うち31人が死亡しています。台湾でSARSが収束したのは、初の感染者が出てから4か月後のことでした。台湾の人たちは、今も和平病院の名前を忘れていません（P80図表④）。

図表④―**2003年、台湾でのSARS流行とその後の取り組み**

2003年 SARS流行時の失敗

2003年3月、中国に駐在していた台湾男性が台北市に戻り発症。その後4月21日までに、28人の感染が報告された。しかし、同市の和平病院において、感染確認の判断ミスや職員・患者間の無防備な接触などが重なり感染が拡大
台湾全体でのSARS感染者数は346人、死者数は37人、発生初期での対応のまずさが問題となった

このことが教訓となり、即対策に乗り出す

法改正やシステムの構築

・流行病に対する防止策を速やかに承認できるように「伝染病防治法」を制定
・「感染症予防治療ネットワーク」をつくり、病院での感染コントロールや病床・設備の準備が迅速にできるシステムを構築。その一方で、感染症に対応する医師の育成を進める
・「国家衛生指揮センター（NHCC）」を設置。指揮系統を中央に統一させることで情報提供の迅速化を図り、政府と地方自治体の直接連携が可能に

いつでも対応できる状態に

中国で新型コロナ感染症が流行

2019年12月31日、台湾の疾病管制署が中国の武漢で原因不明の肺炎が流行している情報を入手。中国に問い合わせると同時にWHOに通報。また同日、武漢からの直行便で到着する旅客に検疫を開始
2020年1月20日、「中央感染症指揮センター」を開設
1月21日、台湾初の感染者を確認。直ちに接触者の追跡を開始
1月24日、中国からの団体旅行の受け入れ一次停止
1月26日、湖北省住民の入境を禁止
2月6日、中国人の入境を禁止
3月19日、すべての外国人の入境を禁止

感染の拡大には至らず、
第1波の抑え込みに成功

台湾はWHOに加盟できていない

――病院封鎖は信じられないし、女性の検査結果が陽性だったのにSARSではない、という判断をしたことも理解できません。

台湾当局が女性をSARSではないと判断した背景には、ある思惑があったといわれています。台湾はSARS流行当時も今も、WHOに加盟できていません。WHOに参加できるのは、国連の加盟国か、WHOの最高意思決定機関である世界保健総会で承認された申請国・地域に限られますが、台湾は国連に加盟していません。中国が「台湾は自国の一部」という立場を取っていて、台湾が加盟することに反対し続けているからです。

SARSの患者が出た時の台湾は、病院で院内感染が出るまで、なんとかしてWHOに入りたいという思いから「死者ゼロ、地域内感染ゼロ、感染移出ゼロ」のスローガンを掲げてアピールしていました。感染移出ゼロとは、感染者を台湾の外に出さないという意味です。感染対策をしっかりやっていますからWHOに入れてほしいという働きかけをしていたのですね。これが、台湾当局に判断ミスを生じさせたのではないか。女性をSARSと認めると、三つのゼロのスローガンに影響が出てWHOへの加盟が難しくなるかもしれない。そう思って感染を認めない方向に動いたのではないか、といわれているのです。
台湾でＳＡＲＳの感染が始まった時、ＷＨＯからの情報が台湾に届かなかったことが問題になり、中国は台湾がＷＨＯの総会にオブザーバーとして参加することを容認しました。しかし、２０１６年に独立志向が強い民進党の蔡英文総統に替わると、オブザーバー資格が取り消されてしまいました。現在、台湾では独自に感染症についての情報を集めて分析しています。

――ＷＨＯに入っていないとまずいことって、あまりないような気がするのですが、加盟していないと何がまずいのでしょうか。

ＷＨＯには世界中のほとんどの国が加盟しています。世界のどこかで新たな感染症が発生すると、すぐに情報が入ってきます。たとえば、２０２１年2月、西アフリカのギニアとコンゴ民主共和国でエボラ出血熱が広がりました。ＷＨＯはその情報を加盟国に報告しているから、日本の厚生労働省も知っています。もし、ギニアとコンゴ民主共和国の滞在歴がある人が成田や羽田に戻ってきて体調が悪くなったら、直ちにエボラ出血熱を疑うことができる。でも、知らなければ対応が非常に遅れてしまうことになります。
あるいは、２０２１年春先、アフガニスタンやマレーシアなどでポリオ（小児麻痺）が発生し、感染拡大が危惧されましたが、そんな話もみんな知らないでしょう。台湾が独自に情報を集めていても、世界中すべての国をカバーすることはできないよね。新しい未知の感染症が発生した場合、ＷＨＯに入っているかいないかで、大きな違いがあるのです。

――日本にはＳＡＲＳ患者は出なかったのですか？

日本国内での感染はありませんでした。でも、台湾の人が日本に観光旅行にやって来て、関西地方や四国を観光して台湾に戻ってからＳＡＲＳだということがわかり、関西地方と四国では、一時パニックになりました。ＳＡＲＳになった人がどこの旅館に泊まったのか、どの観光地に行ったか、全部追跡して誰も感染していないとわかって安心し、それっきりになったのです。四国ではパニックになりましたが、東京にいると、まったくその緊迫感は伝わってきませんでしたね。

ＳＡＲＳは中国で発生したのですが、世界的なパンデミックにはならなかったのです。２００３年の段階ではまだ中国経済が世界の中で今ほど大きな比重を占めていなかったからだと思われます。海外へ行く中国人、海外から中国に働きに来る外国人の数は当時に比べると激増しています。新型コロナが世界的なパンデミックになった背景には、中国経済の発展があるのです。

――韓国は新型コロナや過去の感染症にどう対応したのですか？

韓国では２０２０年２月下旬から新型コロナの感染が拡大しましたが、３月中旬になって新規感染者が減少しました。それ以降、散発的に集団感染が発生していますが、抑え込んでいます。韓国は初動で感染者を大幅に減らし、文在寅（ムンジェイン）大統領は、コリア（Korea）の頭文字をとって「K防疫」と言ってアピールしていましたね。

韓国が新型コロナを抑え込むのに成功した背景には、台湾と同じような過去の失敗があります。それはＳＡＲＳではなくＭＥＲＳ（マーズ）、中東呼吸器症候群（Middle East Respiratory Syndrome）です。ＭＥＲＳの原因となるウイルスはコロナウイルスが変異したもので、２０１２年にサウジアラビアで初めて確認されました。中東地域で限定的に流行していて、まだ収束していません。感染源は、中東地域のヒトコブラクダといわれていて、致死率が約35％と高いのが特徴です。幸い、日本では感染者が出ていません。

このＭＥＲＳが２０１５年に韓国で流行しました。ひとりめの感染者は中東４か国を旅行して戻ってから肺炎になりました。まったく新しいウイルスだから韓国の医師たちも最初は何かわからなかった。患者はいつまでもよくならないので、合計４か所の医療機関を次々に受診し、新たに30人が感染しました。そこから感染が広がり、全部で１８５人が感染、38人が死亡しました。

感染を拡大させた大きな要因は、検査での失敗です。ＭＥＲＳかどうかを判断する検査キットの承認に時間がかかり、しかも検査は国営機関しかできなかったため、結果が出るまで4、5日かかってしまいました。その間に、患者はMERSウイルスに感染しているのに気づかずに、ほかの人にウイルスを感染させてしまったのです。

韓国はこの反省から、検査キットの認可手続きを迅速にできるようにしたり、民間病院でも検査できるようにしたり、次の感染症の流行に向けて準備をしていたのです。その結果、今回の新型コロナでは、PCR検査を大量かつ迅速に実施できました。韓国のドライブスルー方式の検査など、積極的なPCR検査の様子は日本でもさまざまなメディアで紹介されましたね。

――日本はSARSもMERSも逃れたために、今回のコロナウイルスの早期対応ができませんでしたが、もし、日本でもSARSやMERSの患者が出ていたら、台湾のような早期対応ができたでしょうか？

日本も大きな打撃を受けていたら、なんらかの対策を講じていたに違いないと思いたい。思いたいとしか言いようがないよね。わからないけど、日本もできていたに違いないと思いたいですよね。今回のコロナウイルスが収束したら、日本でも未知の感染症の流行に備える対策が進むのではないでしょうか。

――中国のように権力を行使して抑える方法と、台湾のITを活用した対策方法、日本はどちらを目指すべきだと思われますか？

それは、もう明らかではないでしょうか。

民主主義の社会では強権的なやり方はできないでしょう。どちらが効率的かといえば、中国のやり方がいいよね。東京で感染が広がれば、すぐに東京を封鎖してしまえばいい。周囲を警察が監視して逃げようとしたり入ろうとしたりすれば逮捕する。飲食店はすべて閉鎖させる。感染は抑えられるかもしれませんが、人権を徹底的に無視しないとできません。

日本の自粛要請は、極めて緩いやり方です。民主主義の国では人権と感染対策をはかりにかけながら、微妙なところでなんとかしようとしているわけでしょう。だから、日本が目指すべきは台湾方式だよね。台湾は中国のような強権的なロックダウンをし

図表⑤—**中国と台湾のコロナ対応まとめ**

中国	台湾
・武漢市をロックダウン(都市封鎖) ・大規模PCR検査の導入(プール方式) ・突貫工事による専門病院の建設(10日で完成) ・5Gを導入し、医療サポートや市民監視に活用 ・「健康コード」による行動制限の徹底	・迅速な情報収集と分析 ・徹底した水際対策 ・感染者や感染疑いのある人に対しICチップ入り健康保険証で行動を追跡 ・ITの活用で、マスクの実名販売制度と在庫マップを公開 ・正確な情報を速やかに提供する一方、SNSのデマを監視
中国政府による強権的な管理体制	民主主義的手法による緩やかな管理体制

ないで、人々に協力を呼びかけた。あるいはＩＴ技術を使って一人ひとりが対策を取れるようにした（右ページ　図表⑤）。日本は、やっぱり台湾から学ぶべきだと私は思います。

第3章
「一国二制度崩壊」から見る香港、中国

民主の女神アグネス・チョウの苦難

香港の民主化運動は、日本でもさまざまなメディアで報じられてきました。1997年にイギリスから中国に返還された香港は、50年間は「一国二制度」が保障されるはずでしたが、中国による「香港国家安全維持法」の制定で、言論の自由や表現の自由が押し潰されています。民主化運動の旗手たちが次々と逮捕されました。中国は、なぜこのような弾圧に出たのでしょうか？

そこには新疆ウイグル自治区や内モンゴルでの少数民族抑圧と共通した考え方が存在します。中国は何を考えているのか。「一国二制度」が崩壊の危機にある香港について学びながら、解き明かしていきましょう。では、この写真を見てください（左ページ 写真④）。

Q 日本で「民主の女神」と呼ばれている香港の民主活動家は誰でしょう？

――アグネス・チョウ（周庭）です。

そうですね。彼女は日本語が堪能で、日本のテレビや新聞によく出ていたから、知っている人も多いでしょう。アグネス・チョウさんは、香港が中国に返還される前年の199

6年生まれ。まさに、中国返還後の香港の歴史が、彼女の人生と重なるのです。

日本のアニメが大好きな彼女が学生運動に参加したのは15歳の時でした。当時、香港では、中国国民としての愛国心を育成する「愛国教育」の導入に抗議する運動が起きていました。彼女は、自分と同じ世代の若者たちが、愛国教育反対のデモに参加していることにショックを受けたと言います。学校の勉強とアニメのことしか考えていなかった自分を恥ずかしく思った彼女は、デモや集会に参加するようになりました。

２０１４年の反政府運動「雨傘運動」ではリーダー格で運動を主導します。雨傘運動については、あとで取り上げます。彼女

写真④―**アグネス・チョウのプロフィール**　|写真提供:時事

アグネス・チョウ（周庭）
1996年生まれ、香港の民主活動家。15歳の時、学生運動組織「学民思潮」のメンバーとなり、2014年の反政府デモ「雨傘運動」では「民主の女神」と呼ばれ中心的存在となって主導した。中国本土の圧力により、真の民主主義が与えられない状況に声を上げ続けた。

は、真の民主主義が与えられない状況に声を上げ続けてきましたが、2020年6月に香港国家安全維持法が制定されると逮捕され、同年12月に、ほかの民主活動家2人とともに無許可集会扇動の罪で実刑判決を言い渡され、2021年6月まで収監されていました。

彼女が逮捕される前の2019年、香港へテレビの取材で行った時に、彼女と会って一緒に食事をしました。独学で学んだという彼女の日本語は、かなりたどたどしかったのですが、その1年後、民主化運動が弾圧されて、彼女が日本に向けて香港の現状を必死でアピールするようになったら、ものすごく日本語が上手になっていて驚きました。あぁ、本当に必要に迫られて自分の思いを伝えたくなると、外国語がどんどん上達するのだな、と思いましたね。

さて、1997年に香港の中国返還が行われたわけですが、実は多くの香港人が、50年間この体制のままでいいですよと中国政府は言うけれど、本当だろうか、中国は信用できないと思って、返還前に英連邦のいろんな国々へ行ってその国の国籍を取りました。「英連邦」の意味はわかるよね？

――イギリスとイギリスの植民地だった国々の集まりです。

はい、そうですね。英連邦、あるいはイギリス連邦ともいいます。わかりやすく言うと、イギリスから独立後もイギリスとの関係を維持していけば、いろんな経済的メリットがある、という国々の集まりです。かつては宗主国と植民地の関係でしたが、現在では、すべての国が対等の立場で構成されている緩やかな国家連合体で、54か国が加盟しています（2021年7月現在）。

当時、香港の人にいちばん人気の行き先はカナダで、次がオーストラリアでした。カナダは移民に対して非常に開かれていて、香港人にも同じ英連邦の仲間だから、カナダに来ればカナダの国籍を与えます、という姿勢で受け入れました。

――香港はイギリスの植民地でした。イギリスの国籍を取る人はいなかったのですか？

当時、イギリスは香港人がみんなイギリスの国籍を取ると大変だと思って、イギリスの国籍を与えることを制限したのです。代わりに「英国海外市民（ＢＮＯ）」として特別なビザを発行し、イギリスとの間を自由に行き来できるようにしました。でも、香港国家安全維持法をきっかけに、イギリスは、ＢＮＯの資格保持者とその扶養家族には、新たな特別ビザを発行しようということになったのです。新たな特別ビザを持てば、イギリスに5年間滞在でき、就業・就学も可能。5年の時点で永住権の申請ができるようになり、さらにもう1年滞在することで、市民権（国籍）を得る資格が与えられます。これに対して、中国は猛烈に反発しています。

アグネス・チョウさんの両親も彼女もこのＢＮＯを取得していました。だから、アグネスさんは、いざとなればイギリスに逃げることもできたのですが、香港の議会にあたる立法会の議員に立候補する時、他国籍の者は立候補できないという決まりがあり、その権利を放棄しました。その結果というべきか、香港国家安全維持法によって逮捕されてしまったのです。彼女は、いざという時の逃げ場所を断ち切って、背水の陣で民主化運動に取り組んでいたわけだよね。

――イギリスは中国を遠くから批判して、香港には助けを求めてきたら助けてあげるよ、みたいな受け身の姿勢に思えるのですけど、中国に強く出られない理由はなんですか？

それは、中国の経済力を重視しているからでしょう。中国には人権問題がある。だから文句は言う。だけど決定的に対立して中国との貿易が途絶えてしまったら、自国の経済に大打撃を受ける。特にイギリスはＥＵから離脱をしたばかりで、経済的な打撃が懸念されています。その時にさらに中国とことを構えて決定的に対立することはできないので及び腰になってしまう。中国もそれをわかっているから、何を言われても響かないという、残念ながら、そういう状態になっているのです。イギリスだけでなく、アメリカや日本も同じジレンマを抱えています。それについては第5章で説明しましょう。

――台湾と香港は、何か協力関係があったりするのでしょうか？

今、香港の人たちが香港の将来に絶望して、台湾に大勢逃げています。台湾籍を取ろうという人もいれば、台湾に密入国しようとして海上で逮捕されてしまう人もいます。香港人にしてみれば、文字も文化も同じ。香港と同じような自由が台湾にはあります。だから、台湾へ逃げていく人、移住する人たちが急激に増えています。

——香港で民主活動をしているアグネス・チョウさんらは、イギリスと中国の交渉で決まった50年間の限定的な民主主義を、50年以降はあきらめているのか、それとも、永久的な民主主義を求めているのか、どちらなのでしょうか？

いい質問ですね！　実は私も香港で、アグネス・チョウさんに同じ質問をしました。「50年たったら中国になっちゃうのでしょう？」と聞いたら、「50年までにはまだ間があります。民主化運動をずっとやっていけば、50年後に中国が変わっているかもしれない、民主化のほうがいいよね、と逆転する可能性もあります。とにかくあきらめないで、50年後に向けても、それ以降も香港の自由を守るために、私たちは戦っているのです」と言っていました。

傍（はた）から見ると、「どうせ50年後は中国になってしまうのだろう、運動はむだじゃないか」と思ってしまいがちですが、はたしてそんなふうに納得していいのでしょうか。本当に世の中をよくしたいのだったら、そこに向かって運動していくんだっていうのが彼女たちの思いなのです。

確かに、二十数年後に中国で共産党が崩壊しているかもしれないでしょう。だって、ベルリンの壁が崩壊し、ソ連がなくなってしまったわけだから。私が君たちと同じ年ごろの時、夢にも思わなかったことが現実に起きたのです。二十数年後にどうなるかはわからない。だから、今、がんばるんだというのが彼女たちの思いなのです。

イギリスは香港を返還したくなかった

香港が中国へ返還される時の経緯を振り返ってみましょう。そもそも香港問題の出発点は、アヘン戦争（１８４０～４２年）です。中国は、清の時代。清はイギリスと交易を行い、お茶や磁器などを輸出していました。一方イギリスは産業革命で生産を伸ばした綿製品が中国ではなかなか売れず、植民地のインドで栽培したアヘンを清に運びました。

清ではアヘンの吸引や輸入を禁止していましたが、密輸入によってアヘンの吸引が広がります。清はアヘンを押収し全部燃やしてしまいました。怒ったイギリスが清に攻め込んで勝利。その結果、イギリスが清から香港を奪い取って植民地にしました。

では、ここで香港の地図を見てください（P229巻末資料）。香港島だけを香港だと思っている人もいるかもしれませんが、正確には「九龍（きゅうりゅう）半島の一部及び香港島とその周辺の島一帯」が香港なのです。そして、アヘン戦争で最初にイギリスが奪ったのは、香港島だけだったのです。香港島はイギリスに対し、永久割譲、つまり永遠にイギリスのものになりました。

その後、1856年にイギリス船籍のアロー号の乗組員が海賊容疑で逮捕される事件が起こり、イギリスはこれを口実にしてフランスと共同出兵して勝利を収めます。これをアロー戦争といいますが、イギリスの最初の清への侵略は「第一次アヘン戦争」、アロー戦争は「第二次アヘン戦争」とも呼ばれています。

アロー戦争のあと、九龍半島の南部の一部もイギリスに永久割譲されました。さらに、1898年に九龍半島の北部（新界地区）を99年間租借します。「租借」は普段使わない言葉ですが、他国の領土の一部を借りて統治することです。つまり、1997年に返還の義務があったのは、九龍半島の北の部分と周辺の島だけだったのです（P98図表⑥）。

租借期間を99年間にした理由はなんですか？

イギリスは、99年を永久の意味で考えていたと思います。イギリスは1997年以降も香港を維持したいと考えていました。返還の18年前の1979年、イギリスでは「鉄の女」と称されたマーガレット・サッチャーが首相に就任します。その年、イギリスの香港総督が中国を訪れ、租借を継続したいと打診しました。すると、中国の最高実力者だった鄧小

図表⑥―**香港の歴史**

1800年

1840～42年 アヘン戦争

イギリス勝利。南京条約により
香港島がイギリスに永久割譲される
イギリス統治で、香港政庁が設置される

中国本土の動き

1856～60年 アロー戦争

清

イギリス　フランス

英仏軍勝利。北京条約により
九龍半島南部もイギリスに永久割譲される

1884～85年 清仏戦争

1865年　香港上海銀行創設
1870年　香港初の官立病院・東華病院設立

1887年 マカオがポルトガル領に

1898年　イギリスが新界地区を99年間租借
銀行、大学をはじめ、図書館、劇場、競馬場などの
金融・教育・文化施設がつくられ、公共交通も整備
華南貿易の中心地として経済も発展する

99年間租借地
永久割譲地

1894～95年 日清戦争

1900年

1911年 辛亥革命

1935年　香港ドルが法定通貨となる
1941～45年日本による統治
1945年　再びイギリス統治下に
1950年代　上海から多くの工場が移転して工業化が進むと同時に人口も増加
1970年代　アジアの金融センターとして発展
1984年　中英共同声明で、1997年に香港の一括返還を決定。ただし返還後50年（2047年まで）は高度な自治が保証される

1937～45年 日中戦争

1949年 中華人民共和国成立

1966年 文化大革命

1997年　香港返還　一国二制度がスタート

1989年 天安門事件

2000年

2014年　中国共産党が選挙制度に介入したことに反発する「雨傘運動」が起こる
2019年　「逃亡犯条例」に抗議する大規模な市民デモ

平は「期限が来れば中国は必ず香港の主権を回収する」と述べました。私たちは「香港返還」と一般に言っていますが、中国からすれば「回収する」ということになるのですね。
これを聞いた総督は、そうなれば香港人は将来に不安を持つだろうと反論します。すると鄧小平は「香港の投資家は安心してください」と答えました。香港の資本主義体制を壊すようなことはしない、という意味です。当時から、鄧小平は香港の体制は変えずに回収する方針、つまり「一国二制度」のアイデアを持っていたことをうかがわせます。
1982年、香港の返還をめぐってサッチャー首相が訪中し、鄧小平と会談しました。サッチャー首相は、香港の繁栄のためにイギリスが香港にとどまる必要があると主張します。それに対して鄧小平は、「中国は平和的な回収、交渉を通じた回収を望んでいるが、交渉がたとえ決裂しても、中国は香港を回収することに変わりはない」と述べます。要するに、話がまとまらなかったら、軍事力を使ってでもイギリスから香港を奪還する意思を示したのです。この強硬姿勢を受け、イギリスは香港を中国に返す方針を固めます。

――イギリスは、租借地だけ返して、永久割譲された香港島と九龍半島の南部は維持する手もあったと思うのですが、なぜそうしなかったのですか?

現実的な問題として、香港島は水と食料を九龍半島北部の租借地に依存しています。租借地だけを中国に返還したら、香港島の人たちは生活ができなくなってしまう。香港島だけ切り離すことはできないので、結局は香港全域を返還するしかなかったのです。

鄧小平が決めた「一国二制度」の意図

香港の返還を決定づけたのは、中国が打ち出した「一国二制度」でした。香港が中国に返還されても50年間は香港の体制を維持することを中国が約束し、これをイギリス政府が了承したのです。資本主義体制と自治を認めるだけでなく、言論の自由や信仰の自由も認めるというものでした。詳しい内容を挙げておきましょう。

・香港は、中国の憲法で「香港特別行政区」に指定され、北京の中央政府が直轄するものの、高度の自治権を保有する。国防と外交は中国政府が担当するが、それ以外は特別行政区が権限を持つ。
・香港特別行政区が行政権、立法権、司法権の三権を持ち、裁判の最終審判権（最高裁判所の立場）も香港が持つ。
・香港の政府は香港人によって組織され、選挙で選ばれた行政長官は中央政府が任命する。香港人による香港統治（港人治港）である。

・「中国香港」という名称で、独自に多くの国際組織に加盟することができる。

中国の一部に編入されても、香港の現状は変わらず、言論の自由も保障される。「一国二制度」の案に香港の人々はとりあえず安心しました。

――鄧小平は、ずいぶん妥協したように思えますが、なぜでしょうか？

香港が返還された1997年の段階では、中国は今と違って貧しかったということを、とりあえず知っておいてください。中国にしてみれば、資本主義経済が発展した香港は、金の卵を産むガチョウのようなもの。香港を大切にして、中国全体を香港のように経済発展させたい。当時、鄧小平にはそういう思いがあったのです。

だから、香港返還を見越して、すぐ北側の何もない漁村だった広東省深圳（カントン／しんせん）を中国初の「経済特別区」（経済特区）のひとつに指定しています。経済特区だけは、中国国内の経済規制を取り払い、自由な経済活動を認めました。企業の所得税を軽減したり、100％外国資本の企業の設立を認めたりしました。まさに中国国内に出現した「資本主義の実験場」です。香港を起爆剤にして、中国経済を発展させようというのが鄧小平の思惑だったというわけです。

私は、香港がまだ中国に返還される前、1980年代に香港から深圳に陸路で入ったことがあります。当時は、深圳の入口のところで48時間滞在ビザを発行してもらって入ったのですが、深圳の駅前にビルが1棟立っているだけで、何もありませんでした。本当に、文字どおり何もないのです。でも、深圳に来れば仕事があるのではないかと、大勢の若者たちがいました。深圳の駅を降りると、もう、黒山の人だかり。深圳に来たものの仕事のない若者たちが、駅に降りる人を見物に来ていたのです。

街を歩くと、どこもかしこも新しいビルがどんどん建設されようとしていました。しかし街の路地に入った途端、いきなり乳飲み子を抱えた母親が物乞いに来て、大きな衝撃を受けました。鄧小平の「改革開放路線」によって、社会主義国で平等なはずの中国で、貧富の差が生じていることを実感しました。

「改革開放路線」とは、中国の硬直した経済システムを「改革」し、経済発展のために海外からの投資を受けられるように「開放」する、というものです。鄧小平は、「豊かな社会主義」を目指しました。そのために香港の回収は不可欠だったのです。

中国が香港化し、香港の相対的価値が落ちた

そして現在、深圳は香港よりも経済発展しています（P104写真⑤）。世界のドローン市場

でシェア7割を超えるＤＪＩ（大疆創新科技）、電気自動車で世界最大手のＢＹＤ（比亜迪）、通信機器大手のファーウェイ、中国最大のＩＴ企業のひとつテンセント（騰訊）など、有力ＩＴ企業が深圳に本社を構えています。アップル（Apple）やマイクロソフト（Microsoft）、インテル（Intel）、サムスン電子など外資系企業も研究開発拠点を設け、「アジアのシリコンバレー」といわれるまでに成長しました。

１９９7年に香港が中国に返還される頃、私はテレビでこんな発言をしました。「香港が中国化するか、中国が香港化するか、さあ、どちらでしょう」と。結果的にどうなったかというと、経済面で見るかぎり中国が香港化したわけです。深圳だけでなく、北京や上海はもちろん、中国の大都市に行けば、どこでも香港のような繁栄をしています。中国にしてみれば、もう、香港の経済力に頼る必要はなくなった。香港が中国に返還されて24年間で、もう中国にとって香港は以前ほどの価値がなくなってしまったのです。

――中国は、香港のどのようなことを参考にして経済を発展させていったのですか？

それは、次の章の共産党の話にもつながっていくのですが、香港に中国が返還される前、そもそも毛沢東の時代には、社会主義のもとで産業のすべてが国有企業でした。農業にしたって、人民公社が農地を全部集めて、集団農業をしていました。ところが、香港は資本主義社会で、金儲けにおいて法律に違反しないかぎり何をやってもいい。深圳といくつか

写真⑤―上は香港の北に位置する深圳で建設が始まった頃(1982年)、下は経済発展を遂げた現在の様子｜写真提供:(上)中国通信／時事通信フォト、(下)Imaginechina/時事通信フォト

の特区でそれをやらせたら大成功した。だから、全国に広げたということですね。中国は共産党が支配しているのですが、実態は資本主義社会そのものなのです。共産党の言うことを聞いていれば、何をやってもいいというのが現在の中国なのです。

これを「社会主義市場経済」という言い方をしています。社会主義は、国家が経済の計画を立て、商品の価格も決定します。一方、市場経済というのは、マーケット（市場）の需要・供給によって値段が上がったり下がったりする資本主義そのものです。いわば水と油を並べた言葉です。しかし現在の中国において、この言葉は「共産党の言うことを聞く資本主義経済」という意味になっています。

繰り返しますが、中国の実態は資本主義社会で、ある部分では日本を凌ぐほどです。有名なエピソードがあります。中国に進出した日本企業に就職した中国人が、「日本の企業で働いていると社会主義がうつるから嫌だ」と言って転職した、というんだよね（笑）。日本企業は、入社時点で給料の差をつけることはしない。少しずつ差はつくけど、みんなある程度平等で一緒に働こうという雰囲気です。これは社会主義そのものじゃないかというわけです。中国企業は最初から給料に著しい差があって、できる人はどんどん出世していくし、駄目な人はすぐにクビになる。中国は社会主義を掲げながら、資本主義そのものの社会になっているのです。

香港の民主主義が邪魔になった

経済発展を成し遂げた中国にとって、香港の価値は相対的に下がりました。もし、香港の経済状態が悪くなっても、中国全体の経済に大した影響はない。一方で、香港では共産党を批判したり、民主化運動をしたりする人たちがいる。中国政府にとって、香港の民主主義が邪魔になってきたのです。

Q ２０１４年に香港で起きた「雨傘運動」（左ページ　写真⑥）のことを知っていますか？

――池上さんの本で読みました。香港のトップである行政長官の選挙法改正をめぐって、学生たちが中心になって行った抗議運動のことです。

はい、そうですね。行政長官の普通選挙を求める運動だったのですが、何が問題だったのか、なぜ「雨傘運動」というのか、そして結果はどうなったのか、説明していきましょう。

イギリスが統治していた時代、香港のトップはイギリス女王の名代である総督でした。

中国に返還後は、行政長官が香港特別行政区のトップとして、自治政府を運営することになりました。中国政府から見れば、「一国二制度」を認めたとはいえ、香港は独立したわけではなく、中国の一部です。香港のトップである行政長官は、中国政府の言うことを聞く人でなければなりません。

実は、行政長官の選出方法をめぐっては、返還前の協議でイギリスと中国が火花を散らしました。住民の直接選挙で行政長官を選ぶという民主主義を実現させたいイギリスと、中国の言うことを聞かない民主派の当選を避けたい中国との対立です。結局は香港を回収することになる中国の言い分が通り、行政長官は香港市民を代表する選挙委員が選ぶという間接選挙方式が採用され

写真⑥—大規模デモ「雨傘運動」は79日間続いた｜写真提供：EPA＝時事

ました。

選挙委員は金融界や商工業の経営者、労働団体、市民団体など、さまざまな団体の中から選ばれますが、必ず過半数は中国共産党の息のかかった人たちが占めるようにしたのです。「高度な自治」をうたいながら、トップは中国寄りの人物を選ぶという仕組みになっていました。

香港の人たちは中国政府から押しつけられた選挙の仕組みに不満でしたが、香港返還時に定められた香港基本法で、将来的に行政長官の選挙は普通選挙に移行することが約束されていました。２０１７年から行政長官は、香港の住民たちの直接選挙で選ぶことが決定します。香港の人たちは、これで民主主義を取り戻せると喜んでいました。

しかし、ここでまた中国共産党から横やりが入ります。直接選挙にはするけれど、行政長官候補の指名委員会をつくり、立候補者は指名委員会が決めるというのです。もちろん、指名委員会の過半数は中国共産党の息のかかった人たち。つまり、中国共産党の意に沿った候補者だけが立候補できる仕組みです。

この反民主主義的なやり方に対し、香港の学生たちが怒りの声を上げました。これは偽りの普通選挙ではないか。学生たちは街頭に出て抗議活動を行い、デモ行進を行いました。抗議活動が激しくなると、警察が水や催涙ガスをまいて学生たちを追い散らそうとします。

学生たちは黄色いビニール傘で、それらを防ごうとしました。雨傘で警察の取り締まりを防ごうとしたので、「雨傘運動」と呼ばれるようになったのです。

学生たちの非暴力のデモに対し、催涙ガスを使う警察の映像がメディアに流れると香港の住民たちはデモに参加した学生に同情し、政治に対する不満が広がっていきました。しかし、香港の行政長官は、中国共産党寄りの人物ですから、学生や住民たちがどんなに声を上げても聞き入れるわけがありません。雨傘運動は尻すぼみになり、79日間で終わりを告げました。

「香港国家安全維持法」が「一国二制度」を崩壊させる

雨傘運動で普通選挙を実現できなかった香港の若者たちの間では、中国離れが進みます。「一国二制度」の期限を迎える２０４７年以降の香港の将来については香港が自ら決めるという「自決派」や、大陸の影響力を排して香港の利益を優先しようという「本土派」、さらに香港の独立を訴える「独立派」などの新しい政治勢力が生まれました。雨傘運動を通じて政治に目覚めた彼らは、選挙で議席を得ることを目指すようになります。しかし、この動きは中国政府にとって望ましくないものでした。

自決派に属しているアグネス・チョウさんも、仲間とともに政党を立ち上げ、選挙に立候補しようとしますが、香港政府は新しい政治勢力の若者たちはみな独立派と断定し、「香港は中国の一部」とする香港基本法に違反するという理由で、民主派の若者たちの出馬を無効にしました。

そして世界各国が新型コロナ対策に苦慮している隙に、ひと足早く収束させた中国は、香港を自国の管理下に置こうと動き出します。2020年5月末、北京で開かれた全国人民代表大会(全人代)で、「香港国家安全維持法」を制定する方針を採択したのです。

この全人代は、「日本の国会に相当」と日本のメディアが表現しますが、日本と違って、国民の自由な選挙で選ばれるわけではありません。中国共産党が実質的に指名しています。共産党から認められた人だけが選ばれる仕組みです。

結局、全人代は中国共産党が打ち出す方針を追認する場になっています。この時に成立したのは「香港国家安全維持法」を制定する方針でした。法律をつくるのは、その後に開かれた全人代常務委員会です。この方針に基づいた法律は、2020年6月に可決されて施行されました。この「香港国家安全維持法」が、一国二制度を崩壊させるのではないかと懸念されているのです。

一国二制度とは、中国はひとつだけれど、中国大陸が社会主義であるのに対し、香港は資本主義というふたつの制度の並立を認めるもの。その結果、香港が中国に返還されるにあたり、香港の憲法にあたる香港基本法が定められました。これによると、香港に適用される法律は、香港の立法会（議会）が定めることになっています。

実は、香港基本法には、香港政府が自ら国家安全維持法を制定しなければならないという条文が定められていました。具体的には国家の分裂や政権転覆の動きを封じ込める内容にしなければならないのです。香港政府は２００３年に「国家安全条例」を制定しようとしましたが、市民50万人が抗議活動を行ったため、断念しました。

香港政府がいつまでたっても国家安全法を成立させようとしないことに中国共産党首脳部が業を煮やし、全人代常務委員会が制定して香港に押しつけたわけです。

それにしても、今回は〝火事場泥棒〟とでも言うべきやり方でした。世界各国が新型コロナ対策にかかりきりで注目されないうちに突破しようとしたのです。注目されないうちにといえば、２０２０年後半から翌年の1月まで、アメリカ大統領選挙に世界の関心が集まっている間に、香港では国家安全維持法による逮捕者が大勢出ました。２０２１年１月6日、大統領選挙の不正を訴えるトランプ前大統領の支持者らが、連邦議会が開かれていた議事堂を襲撃する事件がありましたが、同日、香港では民主活動家や民主派の政治家50人超を一斉に逮捕する暴挙がありました。

図表⑦—**中国政府が発令した「香港国家安全維持法」の概要**

「香港国家安全維持法」の主な内容
(2020年6月30日施行)

- 国家からの分離・独立、政権転覆行為、テロリズム、国家の安全を脅かす外国勢力との共謀の4つを犯罪行為と定める
- 「国家安全維持法」に違反した場合、最低3年、最高で無期懲役が科される
- 香港の法律と矛盾がある場合は、「国家安全維持法」が優先される
- 「国家安全維持法」違反者は香港でのいかなる選挙にも立候補できない
- 香港に中国政府の「国家安全保障局」を設置。施設も法執行官も香港の地元当局の管轄外となる
- 公共交通機関の施設を損傷する行為はテロリズムとみなされる可能性がある
- 中国が非常に深刻とみなした事件は、中国が引き継ぎ、裁判は陪審員なし、非公開で行うことができる
- 外国の非政府組織や報道機関の管理を強化する
- 国家安全維持法は、香港の永住者と非永住者の両方に適用され、香港に居住していない外国人が起訴される可能性もある

香港市民の声

言論・表現の自由が奪われてしまう

香港の法の支配や司法の独立性がなくなる

反中国の活動をすると、海外の外国人でも逮捕される可能性あり?

50年間、高度な自治を持ち続ける約束は嘘だった?

デモなどの市民運動もテロとみなされるかも

香港の自主性はすっかり侵害されてしまいました。若者たちは危機意識を高め、当時は新型コロナ感染予防のため９人以上の集会が禁止されていましたが、街頭で抗議活動を行い、大勢が警察によって身柄を拘束されました。

香港の若者たちの抗議運動といえば、２０１９年に大勢がデモに参加した映像を覚えている人も多いでしょう。その時は、「逃亡犯条例」という法律の制定に反対したのです。香港在住や、香港に逃げた容疑者を中国本土に引き渡せる条例を制定しようとしたための抗議でした。「逃亡犯条例」が成立すると、香港で中国政府を批判した人を、中国政府から引き渡せと言われたら、引き渡さなくてはいけません。そんなことになったら、香港市民は自由な言論活動ができなくなると反対したのです。

「逃亡犯条例」は学生たちの抗議運動により撤回されましたが、中国政府は大規模デモに脅威を感じ、国家安全維持法を香港にも早く適用しようと考えたのです。この法律によって、共産党への批判や、欧米への支援の呼びかけなどを犯罪として取り締まることができます。香港国家安全維持法は、条文の表現が曖昧だという指摘があるのですが、解釈権は中国にあります。どんな行為が犯罪になるのか、決めるのは中国政府次第なのです（右ページ 図表⑦）。

マカオで民主化運動が起きなかった理由

――マカオも香港と同じく、中国返還後に特別行政区になりましたが、デモなどの抗議運動のニュースを見たり聞いたりしません。今、どうなっているのでしょうか？

いやあ、いい質問ですね。マカオは香港返還の2年後の1999年、中国に返還されました。マカオでは民主化運動がほとんど起きていません。2009年には、マカオ国家安全維持法も制定しています。この決定的な違いは、香港がイギリス、マカオはポルトガルの植民地だったからなのです。かつての宗主国によって植民地支配の手法は大きく異なっていました。

イギリスは、植民地の中で優秀な人材を育てようと考えました。それぞれの植民地に高等教育機関、つまり大学をつくり、卒業生をエリート官僚として育て、植民地を治めようとしたのです。イギリスの植民地だったケニアにはナイロビ大学、イラクにはバグダッド大学、スーダンにはハルツーム大学など、現在まで続く優秀な大学があります。香港にも、香港大学、香港中文大学、香港科技大学、香港理工大学などアジアを代表するような名門大学があります。

さらに、イギリスは植民地を手放す時に、イギリス型の民主主義をしっかり植えつけておくのです。実は、イギリスが香港を統治していた間、香港の人たちの自治や民主主義をあまり認めていなかったのですが、中国に返還することが決まったら、あわてて香港の議会を整備し、民主主義のやり方を導入しました。

一方、ポルトガルはどうだったかというと、植民地からさまざまな資源を収奪していくだけで、人材を育てたり、教育を行ったりしませんでした。ポルトガルの植民地だったところといえば、アフリカのアンゴラとモザンビーク、東南アジアではインドネシアのすぐ東側の東ティモール、そしてブラジルなどですね。独立後にアンゴラ、モザンビークは内戦状態となり、東ティモールはインドネシアに占領されてしまいました。

ポルトガルはマカオを統治している時、そのあとどうするのかということを何も考えていませんでした。マカオにはカジノがいっぱいあって、マフィア的なものがはびこってしまい、ポルトガルは統治できなくなっていました。

１９７４年、ポルトガル本国で左派政権が誕生すると、海外の植民地をすべて放棄する方針を立て、中国に対し、マカオの返還を申し入れました。当時の中国は、香港も含めてどうするか方針を決めていなかったため、返還（回収）を断っていました。その後、香港返還の方針が決まったので、マカオについてもポルトガル政府と交渉して、中国に返還されました。

ポルトガルは、マカオの人たちに民主主義とか、そういうことを何も教えないまま逃げて行ってしまったのです。マカオの人たちにしてみれば、あぁ、中国に戻ることができた、という状態だったのではないでしょうか。だから、マカオでは民主化運動というのは、ほとんど起きていないのです。

新疆ウイグル自治区の人権問題の背景

――香港の人権問題もありますけど、新疆ウイグル自治区の人権問題が深刻なようです。なぜ新疆ウイグル自治区の人たちが迫害されるのですか？

わかりました。まず、新疆ウイグル自治区について、「新疆」「ウイグル」「自治区」の3つに分けて説明しましょう。「新疆」は「新しい土地」という意味です。新しいとはいつのことかというと、清の時代に中国の一部になりました。清にとって新たに獲得した土地、という意味なのですね。

ここに住んでいるウイグル人は、トルコ系のイスラム教徒の人たちです。新疆ウイグル自治区の西にはカザフスタン、キルギス、タジキスタンなどがあり、このあたり一帯は歴史的にトルキスタン（「トルコ系の人たちの土地」という意味）と呼ばれる地域です。トルコ系のイスラム教徒の国々が連なり、カスピ海とコーカサスを挟んで西側にトルコがあります。

では、「自治区」とは何か。現在、中国には五つの自治区があります。新疆ウイグル自治区、チベット自治区、寧夏回族自治区、広西チワン族自治区、内モンゴル自治区です。中国には漢民族以外に55の民族がいて、中国政府は表向きは漢民族以外の民族も大切にします、という姿勢を取っています。その中でも、人数の多い民族については自治を認めましょう、と制定したのが自治区です。自治区のトップには、必ずその民族出身者を置いています。しかし、それは建前で、ナンバー2には必ず漢民族の中国共産党の幹部を置き、その地域を実質的にコントロールしているのです。

そして、特に新疆ウイグル自治区で、漢民族がウイグル人たちを迫害する理由のひとつは、彼らがイスラム教徒であることです。イスラム教徒にとっては、アッラー（神）が至上の存在です。でも、中国共産党は、自分たちより上位の存在を許しません。アッラーを信じている敬虔なイスラム教徒は、中国共産党にとって脅威なのです。

迫害のもうひとつの理由は、新疆ウイグル自治区が過去2度にわたり、中国からの独立を目指し、「東トルキスタン共和国」という国をつくったことがあるからです。今でも、新疆ウイグル自治区の人たちには、自分たちはトルコ系であるという思いがあり、東トルキスタン共和国をもう一度つくろうという独立運動の火種が潜んでいるのです。

中国共産党は新疆ウイグル自治区の独立運動を非常に警戒しています。ここで独立運動が起きれば、内モンゴル自治区やチベット自治区など、ほかの自治区でも独立運動が起きる可能性が高い。そうなったら、中国全体がバラバラになってしまう。さらに、ウイグル人の中には、イスラム過激派の考えに同調して、過激な活動に身を投じる者もいます。彼らが新疆ウイグル自治区でテロを行うのではないかと恐れているのです。

――迫害の対象はイスラム教徒だけなのでしょうか。

キリスト教のカトリックも同じですよね。カトリック教徒のトップはローマ教皇でしょう。だから、カトリック教徒はローマ教皇の言うことを聞き、共産党は二の次になるわけだよね。中国共産党より上位の存在を認めることになる。

結果的に、中国には2種類のカトリック教会があります。従来のローマ教皇に忠誠を誓う教会は自由な宗教活動ができないので、いわば「地下教会」のような状態に追い込まれています。まるで「隠れキリシタン」です。カトリック教会だけど、中国共産党の言うことを聞きますよ、という教会は布教が認められています。だから、オープンに十字架を掲げた教会も存在します。

――ウイグル人への迫害については、いろんな情報がありますが、実際にどんなことが行われているのか、本当のところはどうなのでしょう？

新疆ウイグル自治区から脱出した人たちの証言や隠し撮りの映像などから、強制収容所（写真⑦）に入れられたり、移動の制限、強制労働、強制的な避妊・中絶、信教の自由の侵害などが行われたりしていることが明らかになっています。中国側が〝職業訓練所〟だと言っている強制収容所がどんどん増えていった様子は人工衛星からの写真で確認されています。

また、近年、新疆ウイグル自治区におけるウイグル人の占める割合が減っているという調査データもあります。中国当局は、

写真⑦—新疆ウイグル自治区の〝職業訓練所〟とされる施設の監視塔｜写真提供：AFP＝時事

1950年代から、漢民族を意図的に移住させてウイグル人を支配する構造をつくろうとしてきたのです。

共産党は、ウイグル人への迫害を「ウソだ」と否定していますが、それなら海外メディアに自由に取材させればいいのです。自由な取材を認めないでおいて、海外メディアの報道を否定するのでは説得力がありません。

——新疆ウイグル自治区って宗教や言葉も違うし、香港のような経済的メリットもなさそうなのに、なぜなんとしても押さえておきたいと思うのか、わからないのですが。

確かに経済的メリットはあまりないよね。傍から見れば、民族が違うなら、分かれて別の国にしたほうがいいんじゃないかと思ってしまうけど、中国共産党にしてみれば、中国全体をひとつにまとめることが絶対的な最大の目標なのです。国家としての一体感を維持したいという意識を持っているのですね。

——なんでそこまで、中国全体をひとつにまとめようと固執するのか理由が知りたいです。

それは、本当に根本的な問題だよね。じゃあ日本はどうだったのかという話です。琉球王国は薩摩藩が支配下に置き、明治維新以降、政府が沖縄県にしたよね。北海道にはアイヌ民族がいたにもかかわらず、アイヌ民族を抑圧し、どんどん追いやって住む場所を限定していった。さらに、アイヌの文化を奪っていったわけでしょう。

つまり、日本がアイヌ民族を抑圧したり、アメリカがイギリスの植民地として先住民を追いやったりしたように、国家というものは同じようなところがある。特に、習近平国家主席は、「中華民族の偉大な復興」をスローガンに掲げています。彼がイメージしているのは明の時代です。明の時代、中国は大きな版図を持っていました。大航海時代よりも100年も前に、鄭和という人物が大船団を組んで南シナ海を開発し、アフリカのソマリアまで行ってキリンを連れて帰って来たという話も伝わっています。

オランダの経済学者が十数年前に当時のGDPを推定したら、明は当時の世界のトップだったそうです。つまり、明の時代には、中国は世界でいちばんの強国だった。そして、明は漢民族の国家だったのです。

ところが、満州民族の清の時代には、アヘン戦争や日清戦争で負けてどんどん力が弱まってしまった。中華民国時代には内戦があり、中華人民共和国になったら、毛沢東による極端な社会主義政策で貧しくなってしまった。昔の中国はとても栄光ある強大な国だったのだから、それに戻そうというのが習近平の野望なのです。

習近平は「中華民族」という言い方をよくしますね。でも、中華民族って存在するかというと、しないでしょう。中国には漢民族以外にもいろんな民族がいるのに、中華民族という呼び名のもとに、ひとつの中国をつくろうとしている。つまり「中華民族」はフィクションなのです。香港の民主活動家とウイグル人に対する弾圧に通底しているのは「中華民族の意識を持て」という考え方です。一国二制度で異なる制度を認めていた香港にも、異なる民族で独自の文化を持つウイグル人にも、中国共産党の言うことを聞いてひとつの中国にまとまるように強制しているのが現在の中国なんだということです。

——習近平の野望に同調する人は中国国内にどれくらいいるのですか?

中国の若者たちは学校で、中国がさまざまな外国の列強から介入されたり、ばかにされたり、賠償金を取られたりしてきた歴史を学んでいます。列強は中国を下に見る、上から目線で見るという屈辱を知っています。

2021年3月に米アラスカ州のアンカレッジで米中の外交トップ会談があった時、米中が激しく対立したでしょう。中国側が「アメリカは上から目線で中国にものを言う資格はない」ということを言ったところ、その言葉をプリントしたTシャツが、中国で商品化されて、若者たちの間で流行しました。中国はまもなくGDPでアメリカを抜くところまで経済発展した。これまでの屈辱を晴らす絶好の機会だというふうに思っている人が多いのです。だから、習近平の個人的な野心はともかく、「中華民族の栄光よ、再び」という考えには、多くの中国人たちが拍手喝采をするという状態になっているのです。

第4章

「中国共産党100年」から見る中国

中国共産党は「五・四運動」から誕生した

2021年7月、中国共産党は創立100周年を迎えました。100年前の1921年7月23日、上海(シャンハイ)の旧市街地にある住宅で、中国共産党第1回大会が密かに開かれました。この時、中国共産党員は全国にわずか53人（57人の説も）。その代表として12人が出席しました。のちに共産党のトップに君臨することになる毛沢東も、そのひとりです。この時はまだ代表のひとりにすぎませんでした。

現在、中国共産党員は約9500万人にのぼります。ドイツの人口（約8300万人）より多い規模です。「社会主義市場経済」という名のもとに、政治は社会主義、経済は資本主義という矛盾をはらんだ体制で成長を続け、ついにアメリカから「唯一の競争相手」と名指しされるまでに発展しました。

そもそも、共産党は反日の政治勢力として誕生しました。きっかけは1919年に起きた「五・四運動」です。学校の世界史の授業ではさらりと教わるだけではないでしょうか。でも、「五・四運動」の盛り上がりの中から共産党が誕生したため、現代の中国で5月4日は特別な意味を持つ日なのです。その当時を振り返ってみましょう。

Q 20世紀の初め、中国では辛亥革命によって清朝が滅び、アジア初の共和国が誕生しました。国名を答えてください。

――中華民国です。

はい、正解ですね。初代の臨時大総統に就いたのは革命を主導した孫文でしたが、共和政は安定せず、帝国主義諸国の侵略を受けていました。それでも、中国の山東半島を占有していたドイツが第一次世界大戦（1914～18年）で敗北したことから、山東半島は中国に返還されるものと人々は考えていました。ところが、ヴェルサイユ条約で、山東半島はドイツから日本に領有権が移ることが決まります。これに怒った北京大学の学生を中心とする若者たちは、1919年5月4日に抗議デモを行いました。

このデモをきっかけに、中国では、幅広い層を巻き込んだ反日愛国運動が各地に波及します。それが「五・四運動」（P126写真⑧）と呼ばれるもので、日本製品の排斥やストライキ、街頭でのデモ行進が繰り広げられました。

この運動の中で、北京大学教授の陳独秀が創刊した啓蒙雑誌『新青年』が若い知識人の支持を得て読者を広げます。1917年にロシア革命が起きると、この雑誌はいち早くロシア革命の思想を紹介し、共産主義を広める役割を果たしていました。みんなが平等な共産主義の思想は、帝国主義列強によって抑えつけられていた中国の若者たちの心を捉えました。各地に共産主義に共鳴する若者たちが出現し、中国共産党の母体となっていくのです。

ちなみに、「共産主義」という言葉は、日本でつくられた言葉だと知っていますか？

――いいえ。そうなのですか。

コミュニズムという言葉が日本に入って来た時、産業や財産を共有することで平等な社会にするという意味から、共産主義と訳したところ、この言葉が中国に持ち込まれ、共産主義を目指す党ということで共産党と名づけられたのです。

写真⑧―1919年5月4日、北京でヴェルサイユ条約に対する抗議デモが行われ、全国的な愛国運動へと広がっていった｜写真提供：Alamy /PPS通信社

コミンテルン中国支部が中国共産党の始まり

ロシア革命が成功し、ソビエト政権が生まれると、周辺の資本主義の国々は、いったいどんな国になるのだろうと警戒しました。資本家を殺してしまえ、などという暴力的な国家が力をつけたら、いろんな国で社会主義革命を起こすかもしれない。ソビエトはまだできたばかりの国だ、今のうちなら倒すことができる。そう考えた欧米列強が共同出兵を提唱し、日本も加わって軍事介入しました。それが「シベリア出兵（対ソ干渉戦争）」（1918〜22年）です。

ソ連は資本主義諸国からの軍事介入に耐え、なんとかそれらを跳ね返しました。しかし、社会主義の国は一国だけで、周りを資本主義の国に囲まれています。ソ連が存続するためには、世界中を共産主義化することが必要だ。そのために世界中に共産党をつくろう、と考えてコミンテルン（共産主義インターナショナル）を創設しました。ソ連は、国家としてはどこの国とも仲よくしますという平和共存をうたいながら、世界各国にコミンテルンの支部をつくり、そこで共産党を育成し、共産主義革命を起こして自分たちの仲間にしようという二重路線を取ったのです。

中国でも、コミンテルンから派遣された人物が上海に入り、ロシア革命や共産主義に関心を持ち始めた若者たちに接触して、共産党の結成を働きかけました。そして、今からちょうど100年前、コミンテルン中国支部がつくられます。ちなみに、日本共産党はその翌年に結成されています。

冒頭で述べたように上海の旧市街の住宅で、中国共産党が「コミンテルン中国支部」として産声を上げました。その時、コミンテルンから派遣された人物ふたりも出席しています。ひとりはロシア人のニコルスキー、もうひとりはオランダ人のマーリンという人物です。今では、その住宅は記念館（写真⑨）になっていて12人の代表たちの会議の様子を人形で再現しています。

写真⑨―中国共産党発祥の地。現在は記念館となっている｜写真提供：Alamy /PPS通信社

私は、その記念すべき場所に行って見てきたことがありますが、ひとつ、歴史の偽造に気づきました。人形は毛沢東が中心になって、議事を進行しているかのようになっているのです。でも、毛沢東はこの時は地方代表のひとりにすぎない若者で、特に指導的な地位にはなかったのです。毛沢東が本当に権力を持つのは、それよりずっとあとのことなのです。

ちなみに、中国では中国共産党１００周年を記念した『１９２１』（原題）という映画が製作されました。日本公開は未定ですが、毛沢東がどんなふうに描かれているか個人的に興味を持っています。

——毛沢東を会議の中心に据えたのは歴史の偽造ということですが、なぜそんなことをするのですか？

なるほど、いい質問だな。共産党が創設された当初、毛沢東はリーダー格ではなかった。さらに言えば、中国共産党内部で路線闘争があったわけ。コミンテルンに基づいてソ連共産党に従うのか独自路線を歩むのか。途中経過でいろいろあって毛沢東はのちにリーダーになったわけだけれども、共産党の歴史は毛沢東から始まって首尾一貫したものだ、というふうにしたいわけです。

そもそも、毛沢東の指導によって中国共産党が発展したということが偽造なのですが、あとからつくられた歴史を正当化するために、人形のポジションを変えてしまったということですね。

歴史書を読む場合も、これはあくまで勝者によって書かれた歴史なのだという視点で見ることが大切です。歴史って、勝者によって書かれたり、語られたりする率が圧倒的に高いわけだよね。歴史を学ぶうえで、そういう視点をちょっと持ってもらえればいいなと思います。

毛沢東の独自路線「農村からの革命」

モスクワのコミンテルン本部は、自分たちの「ロシア革命モデル」こそが、唯一絶対の路線と考えていました。労働者や軍人が都市で武装蜂起して成功したロシア革命の経験から、このやり方が世界のどこでも通用するものだと信じきっていたのです。ロシアとはまったく国情が違う中国に対しても、同じやり方を押しつけました。

中国共産党は、コミンテルン中国支部としてスタートしたために、モスクワの本部からの指令を金科玉条(きんかぎょくじょう)のものとして受け入れました。当時の指導部にはソ連に留学した経験のある者が多かったのです。

しかし、その頃の中国は、国民の9割が農民の農業国でした。資本主義が未発達だったから、そもそも労働者がそんなにいなかったんだよね。共産党員も、都市部のインテリしかいないわけでしょう。そんなところで革命を起こせなんてやっても、空振りをするわけです。実際、共産党組織が武器を持って都市を占領しても、住民は立ち上がりませんでした。共産党の部隊は、国民党軍によって、次々と潰されていきました。

そんな時に、都市部で武装蜂起したって潰れるに決まっている。中国は農村が多くて農民が多いのだから、農村地帯に根拠地をつくるべきだと考えた人物がいました。それが毛沢東です。

――毛沢東は共産党創設時には、若くてリーダー的な地位ではなかったのですよね。どういう経歴で、中国共産党第1回大会に出席することになったのですか？

毛沢東は、まだ清朝の時代の１８９３年に、湖南省の農村で豊かな農家の子として生まれました。幼少のころから読書好きで、小学校を卒業後、一度は農業を手伝いますが、向学心が強く、湖南省の省都である長沙(ちょうさ)の師範学校に進みます。当時の中国の農村では小学校を出るだけでもかなり恵まれています。毛沢東が、さらに進学できたのは、裕福な父親の仕送りがあったからです。

24歳で師範学校を卒業すると、北京大学教授になっていた師範学校時代の恩師を頼って北京に出て、北京大学の図書館に就職します。ここで、雑誌『新青年』の寄稿者たちと知り合い、マルクス主義思想に目覚め、自らも熱心な寄稿者となりました。

毛沢東は、恩師の娘と結婚し、故郷の湖南（こなん）省に戻って小学校の校長になるとともに、書店を開いて大成功を収めます。経営の才覚があったのでしょうか。中国共産党第1回大会が上海で開かれた時、毛沢東は27歳でした。彼は湖南省の代表として出席したのです。

中国現代史は、この毛沢東抜きには語れません。それほど大きな存在で、その歴史的評価は分かれています。私が学生だった1960年代、毛沢東はまだ健在で「中国革命の星」として燦然（さんぜん）と輝く巨人でした。

しかし、毛沢東が主導して展開された文化大革命（1966〜76年）の実情が判明し「中国人民数千万人を死にいたらしめた独裁者」という評価が固まりつつあります。それでも、中国国内では、「誤りもあったが、革命の偉大な指導者」という見方が一般的です（毛沢東と「文化大革命」などの政策については、既刊の『池上彰の世界の見方　中国・香港・台湾』で詳しく解説しています）。

小作農に土地を分配する「土地革命」

では、毛沢東が農村地帯に共産党の根拠地をつくろうとした話に戻りましょう。

Q 毛沢東は、農村地帯に勢力を広げていくために小作農を喜ばせることをしました。何をしたでしょうか？

――大地主から土地を取り上げて、小作農に土地を分け与えたとか？

そのとおりです。農村地帯に入っていって大地主を殺し、土地をみんなに分配しました。それまで大地主のために働かされてギリギリの生活をしてきた農民たちは、この「土地革命」の方針を熱狂的に支持しました。当時の中国は巨大な農民国家。毛沢東は、土地を分配されて喜んだ農民を共産党の軍事組織（紅軍）に加入させるというかたちで、農村に次々と革命拠点を築いていったのです。

当初は都市での武装蜂起を指示したコミンテルンも、ことごとく失敗すると方針を変え、農村地帯で土地革命と紅軍建設に力を入れるという方針に改めました。結果的に、毛沢東の独自路線が追認されることになったわけです。農民を中心とする国民の支持を得た共産党は支配地域を広げていきます。その後、日本の侵略もあり国民党と共産党が手を組んだり対立したりを経て、共産党が国民党を台湾に追い出すことに成功しました。その過程で毛沢東が共産党内部で主導権を握ります。

1949年10月、毛沢東は中華人民共和国の成立を宣言します。実は中国は建国当初から社会主義国家だったわけではありません。そもそもマルクス主義では、社会主義は発展した資本主義の次の段階の社会でした。封建社会が民主主義革命によって資本主義社会になり、資本主義が高度に発展したのちに社会主義革命が起きて社会主義社会になる、というのです。

当時、毛沢東は社会主義を「将来の目標」と考えていました。遅れた封建制の中国は一気に社会主義へ進むことができないので、まずは共産党の監督のもとで資本主義を発展させ、条件がそろった段階で社会主義へ移行する。本格的な社会主義化を進めるまでには、資本主義の時代を20年程度と想定していました。毛沢東は、この路線を「まだ社会主義ではない」という意味で「新民主主義」と呼びました。

新政権は、新民主主義路線のもと、「土地改革法」を布告し、全国の地主から土地を取り上げ、小作農に土地を分配しました。いずれ集団農業に移行する腹づもりでしたが、しばらくは資本主義を認めたわけです。農民たちは、自分たちの土地を持つことができ、生産意欲が高まります。農産物の生産高が急激に増加しました。新民主主義は工業分野にも及んでいたので、同様に生産高がハネ上がり、建国からわずか3年で農業・工業ともに建国前の最高水準を超えました。

これを見た毛沢東は「社会主義に進む経済基盤ができた」と思い込んでしまいます。社会主義への道は20年程度かかるものと想定していたのに、生産高がハネ上がったのを見て、理想の社会主義社会がすぐそこまで来ているような気になってしまったのです。

毛沢東は、政策を180度転換します。農民たちの土地は全部取り上げられて、公有化されてしまいます。農家にとって農地は生産手段です。生産手段は私有化しないというのが共産党の立場でした。生産手段を国有、あるいはみんなのものにすれば、格差もなくなり、計画経済によって生活が安定する。これが毛沢東の方針でした。

すでにソ連では、スターリンが農業の集団化を進め、これがソ連での農業生産停滞につながっていくのですが、その結果が知られるようになるのはまだ先のこと。中国にとっては、ソ連に続け、ということになったのです。

集団農業へ移行し、一気に社会主義へ

1958年に急激な社会主義の建設を目指す「大躍進政策」が始まり、農村には人民公社が設立されます。人民公社の「公社」とは、「コミューン」の中国語訳です。「コミューン」とはマルクス主義の考え方で、理想の社会主義社会のこと。労働者・農民が主人公と

なって、すべてを自分たちが決めて共同で社会を建設していく仕組みとして考えられました。ただ、マルクス主義の思想ではありましたが理想であって、具体的にどのようなものになるのか、はっきりしませんでした。中国では、それを人民公社というかたちで、全土で一気に実現させようとしたのです。

人民公社は一郷（村）一社が基本です。農民たちの土地や農機具をすべて人民公社の所有にして、全員が人民公社の社員になり、みんなで一緒に寝泊まりをし、みんなで労働し、労働成果はみんなのものにするというやり方です。

結果はどうなったのか。結局、みんなのものは自分のものではない、ということで農民たちの労働意欲が急激に落ちてしまいます。自分の農地であれば霜が降りそうになれば、深夜でも焚火をして周りの空気を冷やさないようにする。でも、自分の土地でなくなった途端、朝9時から夕方5時まで働けばあとは知らない、ということになるわけ。農業生産性が著しく落ちてしまって、農村は常に飢餓状態に陥ります。

さらに、人民公社ができる時に、個々の農家が所有している農耕用の家畜も取り上げられて人民公社が所有することになりました。それを知った農民たちは思わぬ行動に出ました。取り上げられる前に家畜を殺し、その肉を売ったのです。家畜を取り上げられればそれまでですが、肉を売れば自分の現金収入になるからです。あるいは家畜を処分し、自分たちで食べてしまいました。自分が一生懸命育てた家畜なのに、農業が集団化されると自分のものではなくなるからです。農業集団化の過程で家畜も激減してしまいました。

――毛沢東が土地を公有化する時に、中国の人たちは反対できなかったのですか?

いいポイントを突いていますね。実は共産党が政権を取った時、「百花斉放(ひゃっかせいほう)」という一大キャンペーンを張りました。共産党も間違いをおかすことがあります、問題点や過失があったらどんどん批判してください。色とりどりの花が咲くように、国民みんなで議論をしましょうと、毛沢東が呼びかけました。

最初のうちはみんな黙っていましたが、恐る恐る批判を始める人が出てきました。批判をしても逮捕されることはありません。批判をしてもいいのだという空気が流れ、全国で共産党に対する批判がどんどん出るようになりました。すると突然、毛沢東の態度が変わって、「共産党を批判する者は革命を失敗に終わらせようとする右派である」と言い出します。右派のレッテルを貼られた人は、投獄されたり、辺境の地へ追放されたりしました。「百花斉放」を呼びかけてから、わずか4か月後のことでした。

毛沢東がなぜ方針転換したのかは、歴史家の間でも議論が分かれています。毛沢東が共産党をよくしようとして、みんなから自由に批判させたら予想外に批判が噴出してしまい、収拾がつかなくなってあわててやめたという説。もうひとつの説は、共産党に不満を持っている人物を見つけるために意図的に共産党への批判を言わせて、出てきたところを捕まえたというものです。このふたつの説があるのですが、真相はよくわかりません。いずれにせよ、共産党を批判したら捕まることが明らかになったわけだよね。もう誰も共産党の批判をしなくなりました。

その後、毛沢東が亡くなって1980年代に鄧小平が実権を握ると、人民公社は解体されます（左ページ 図表⑧）。人民公社の土地は個々の農家に貸し出されて、自由に耕作できるようになりました。国に一定の農作物を納めれば、あとはすべて農家のものになります。自分たちが育てた農作物を自分たちで売りさばくことができるようになったのです。政策転換した途端、劇的に農業生産性が高まり、農村は飢餓状態を脱しました。

日本の場合は、戦後のGHQによる農地改革で、戦前の大地主の土地が小作農に分配されましたね。自分の土地を持つことができた農民たちの意欲は高まり、日本の農業生産性は飛躍的に高まったのです。時代や国は違っても、人間の本性は変わりませんね。作物が自分のものになると俄然張り切って働くようになるわけです。鄧小平は、人間の本性をよくわかっていたのでしょう。

――共産党の最高の理想は「共産主義の実現」ですよね。中国は資本主義が十分発展して、今こそ社会主義に移行する時機なのに、なぜしないのですか？

図表⑧—**中国と中国共産党　100年のできごと**

年	できごと
1911	辛亥革命起こる
1912	中華民国成立。清朝滅亡
1919	ヴェルサイユ条約に抗議する反日運動を目的とした「五・四運動」が起こる
1921	毛沢東らが「中国共産党」を設立
1924	孫文の中国国民党と中国共産党が連携関係に（第一次国共合作、27年崩壊）
1937	盧溝橋事件を機に日中戦争が勃発。第二次国共合作
1945	第二次世界大戦終結
1946	第二次国共合作が崩壊し国民党軍と共産党軍が内戦に突入
1949	共産党軍が内戦に勝利し、中華人民共和国が成立。国民党は台湾へ逃れる
1958	鉄鋼などの大増産を目指す「大躍進政策」始まる
1966	「文化大革命」が始まり、国内は大混乱に
1972	ニクソン米大統領訪中。日中国交正常化
1976	毛沢東死去（文化大革命の終わり）
1978	鄧小平による「改革開放政策」を発表
1979	「ひとりっ子政策」を導入
1985	人民公社の解体が完了
1989	天安門事件が発生。江沢民が総書記に就任
1994	「愛国教育」の実施要項制定
1997	鄧小平死去。香港が返還され「一国二制度」導入
2001	世界貿易機関（WTO）に加盟
2002	胡錦濤が総書記に就任
2008	北京オリンピック開催
2010	国内総生産（GDP）で日本を抜き世界第2位に
2012	習近平が総書記に就任
2013	習近平が「一帯一路」構想を提唱
2015	産業政策「中国製造2025」を発表。「ひとりっ子政策」廃止
2017	トランプ米大統領訪中
2018	米中貿易戦争へ。憲法改正で国家主席の任期が廃止され、習近平続投が可能に
2019	湖北省武漢で新型コロナウイルス発生
2020	米中が貿易摩擦に関する「第1段階」に合意
2021	中国共産党100周年

中国全体としてのGDPは胡錦濤政権の時に日本を抜いて、確かにアメリカに近づいているけど、ひとりあたりのGDPは63位（図表⑨）でまだ低いよね。ものすごいお金持ちもいる一方で、とてつもなく貧しい人たちもいるわけです。まずは、みんなが豊かになるのが大事で、共産党はそれを実現するのだと言っています。

でも、今の中国は本来の共産主義の理想から遠く離れて、共産党の権力を維持することがいちばんの目的に変わってしまっています。マルクスの『資本論』を読むと、実は今の中国のような経済体制を批判していることがわかるという皮肉なことになっているのです。

図表⑨—各国における国全体とひとり当たりのGDP　｜出典：IMF2020年

GDP国別ランキング（名目GDP）

順位	国名	データ（単位:百万米ドル）
1	アメリカ	20932750
2	中国	14722840
3	日本	5048690
4	ドイツ	3803010
5	イギリス	2710970
6	インド	2708770
7	フランス	2598910
8	イタリア	1884940
9	カナダ	1643410
10	韓国	1630870
11	ロシア	1473580
12	ブラジル	1434080
13	オーストラリア	1359330
21	台湾	668510
37	香港	349445

ひとり当たりのGDPランキング（名目GDP）

順位	国名	データ（単位:米ドル）
1	ルクセンブルク	116921
2	スイス	86849
3	アイルランド	83850
4	ノルウェー	67176
5	アメリカ	63416
6	デンマーク	60494
7	アイスランド	59634
8	シンガポール	58902
9	オーストラリア	52825
10	オランダ	52248
15	香港	46753
16	ドイツ	45733
23	日本	40146
31	台湾	28306
63	中国	10484

あらゆる組織に共産党委員会がある

中国では経済のさまざまな制度が資本主義的になっています。経済が資本主義的になれば政治も西側諸国のようになっていいはずですが、中国の場合、そうはならないのです。中国はもはや社会主義ではなくなりましたが、権力は共産党が掌握しているからです。

中国の政治の仕組みで最も特徴的なのは、憲法の上に中国共産党が存在しているところです。中華人民共和国憲法に「中国共産党の指示に従う」と定められています。まず中国共産党があって、その下に憲法がある。つまり憲法をどう解釈するかは共産党が決めるのです。

普通の民主主義国では、憲法がいちばん上にあって、その下にいろんな政治制度があって、三権分立になっている。日本もそうですね。天皇陛下の地位は日本国憲法に規定されていますし、政党も憲法の下で政治活動をし、国家公務員は必ず憲法を守らなければいけないと憲法に書いてあります。通常の民主主義国はみなそうですが、中国は大きく異なります。

また、中国には中国共産党以外に、実は八つの政党が存在していますが、どの政党も「自分たちは中国共産党の指導に従う」と党の規則に定めています。中国には、中国共産党以外の党もあるけれど、事実上は共産党の独裁国家なのです。民主主義国の定義は通常、複数政党が認められていることです。これがいわゆる民主主義のかたちです。中国は民主主義国家ではありません。

中国では、一定の人数がいる組織には必ず共産党の委員会があります。たとえば、警察の中にも、裁判所の中にも、共産党の委員会があります。そして、共産党員であれば、必ず共産党の言うことを聞かなければいけません。たとえば、警察は政治運動や政治的なことが関係した事件だと、警察の中の共産党委員会の指示を受けて逮捕していいか、止めるのかを決めます。あるいは、裁判官も判決を出す時は、必ず共産党の言うとおりの判決を書くことになります。つまり、表向きは三権分立になっているようだけれど、すべては共産党の言うことに従うようになっているのです。

中国のマスコミ各社にも、もちろん共産党委員会があって共産党員が常駐しています。新聞やテレビは政権に関わるような報道をする場合には、必ず共産党におうかがいを立てます。中国のマスコミは、共産党に都合の悪いことは一切報道しません。

教育機関も例外ではありません。中国の大学にはすべて共産党の委員会があります。たとえば、北京大学の権力構造を見てみましょう。北京大学は、日本における東京大学のような存在で、高級官僚を多数輩出する名門大学です。東京大学の場合、重要事項を決めるトップは総長です。しかし、北京大学でいちばん偉いのは北京大学の中の共産党委員会の書記なのです。もちろん学長はいますが、重要事項の決定については、言葉は悪いですがお飾りのようなものです。表には出てこない共産党委員会の書記がすべてを決めているのです。

よく日本の大学が、中国の大学といろんな業務提携をしたり、学生派遣をしたりしていますよね。何かを決めたあとで、突然、向こうの大学から、ちょっとこれはやめてくれなどと言ってくることがあります。それは学長が決めたことを共産党委員会の書記が駄目だと言ってひっくり返したと考えられます。大学の学長であっても、本当の実力者は別にいるというわけです。

企業の場合を見てみましょう。中国共産党規約によれば、3人以上の共産党員が所属する企業では、共産党組織を設立しなければいけないことになっています。同規約は共産党の内部文書なので、企業が必ず守る義務はないのですが、ほぼ100％守られています。中国に進出した海外企業も例外ではありません。日本企業の工場などにも共産党委員会があります。

大企業の社長の机には電話が2台あります。通常の電話と、もう1台は赤い電話です。

赤い電話のほうは共産党の内線電話、ホットラインと言っていいもの。中国企業の最高経営責任者は社長だろうと考えて商談を進めていたら、当然、共産党の意向が入ってくることもある。中国企業とのビジネスには、日本の常識では計れないことがあり、日本企業も苦労しているのです。

２０２０年12月にオーストラリアの全国紙『オーストラリアン』が、オーストラリアをはじめ、アメリカ、イギリス、ドイツなど、上海にある少なくとも10の領事館など外国公館が、上級専門職や秘書、経済政策顧問に共産党員を雇用しているか、過去に雇用していたと暴露しました。大使館は首都に置きますが、それ以外の大都市には領事館があります。領事館では職員として現地の人も採用します。そこに共産党員が入ってくるということだね。同紙はオーストラリア情報担当局の話として、「外国公館で働く共産党員はスパイかもしれないし、暗号通信にアクセスできる恐れもある」と警鐘を鳴らしています。

さらに同紙は、共産党員が勤務していることが確認された海外企業として、米ボーイングや、新型コロナウイルスのワクチン開発を手がける米ファイザー、英アストラゼネカを挙げています。本当に、あらゆる組織に共産党員がいるということです。

共産党員は不逮捕特権を持っている

これは意外に知られていないのですが、共産党員は不逮捕特権を持っています。警察は共産党員を逮捕できないんですよ、すごいでしょう。

――えっ、では共産党員の犯罪者はどこが取り締まるのですか？

共産党の腐敗分子や犯罪者は共産党の内部で取り締まるという仕組みになっているのです。「規律検査委員会」というのが共産党の中にあります。共産党の本部には中央規律検査委員会、地方には地方の規律検査委員会があるわけですね。共産党員の犯罪、たとえば汚職があったりすると、規律検査委員会が取り調べをして処分が行われます。この処分の中でいちばん重いのが「除名」です。なぜ、除名がいちばん重い処分かわかりますか？

――？？

共産党員でなくなった途端、不逮捕特権がなくなるからです。共産党の規律委員会が調べた捜査資料はすべて警察に渡ります。すると、この段階で警察が逮捕し、裁判にかけ、犯罪によっては死刑判決も出るという仕組みになっているのです。

――「除名」にさえならなければ、逮捕されないとも言えますが……。

それくらい共産党員は、特別な権利を持っているのだということですね。

――特権があるから共産党員になりたいと思う人もいると思います。共産党員は９５００万人いるそうで、多いなぁと思ったのですが、これから増やす方針なのでしょうか。それとも、エリートだけを選りすぐって増やさずにいくのでしょうか？

共産党ができた当初は、とにかく党員を増やそうとしてきましたが、ここまで増えてきてしまったので、今は本当のエリートだけ入党させようとしています。特に党員の資質向上を目指す習近平が２０１２年に党総書記に就任して以降、入党審査を厳格化したため、新規入党者は減っています。党員になるには2～3年前後にわたる審査があり、党員になれるのは希望者の10人に１人に満たないといわれています。

――中国で共産党に入党したければ、どのような手続きが必要なのですか？

申請すれば、誰でも党員になれるわけではありません。共産党員になるまでのプロセスを説明しましょう。

優秀な学生は共産党にスカウトされる

共産党に入りたいと思う希望者は、まず入党申請書に入党の動機や自分の履歴、党で何をやりたいかなどを記入して提出します。申請が通ると、「入党積極分子」（入党に積極的な者）と認められて、共産主義や共産党の歴史を学んで課題をこなします。献血などのボランティア活動も必須です。そして党員ふたりの推薦を受けると、党組織が人物審査を行います。

審査の結果、「資格あり」と認められると「予備党員」になります。予備党員の間も、周囲への審査が引き続き行われ、課題もこなさなくてはなりません。それをクリアすれば、正式に入党を認められます。これが一般的な申請から入党を認められるまでのプロセスといわれています。でも、優秀な学生をスカウトして育てる「エリートコース」は、少し違うようです。

中国は、共産党があらゆる分野を主導します。将来の共産党幹部候補を育成するためには、優秀な人材を集めなくてはいけません。先ほど、一定の人数のいる組織には必ず共産党委員会があって共産党員がいると話したでしょう。網の目のように張りめぐらされた共産党のネットワークが、優秀な人材をスカウトするのにも機能しています。

たとえば、君たちが中国の高校生だったとする。成績が優秀で、生徒会活動とかを活発にやっていて、みんなから信頼されていると、「君は共産主義青年団に入らないか」とスカウトされます。共産主義青年団というのは、共産党の下部組織で、将来の共産党員を目指す青年たちの集まりです。団員は14～28歳。活動の様子を見極められ、優秀な者は入党を勧められます。「一般」と同じ手続きを踏みますが、「一般」より速やかに入党が認められます。

――スカウトされても、入りたくないと断ることはできるのですか？

もちろん、入らないという自由はあります。でも、共産党に入りたくない、と言ったら「こいつは共産党に敵意を持っているのではないか」という烙印を押されるわけだ。そして、共産党への入党を拒んだことが「檔案（とうあん）」という身上調書に書き込まれて、一生ついて回る。「檔案」というのは、全国一人ひとりについて作成される秘密文書で、中国共産党による革命が起きた時点で、先祖が貧農だったか資産家だったかという出身や結婚、職歴、党歴、言動、犯罪歴などの個人情報が記録された資料です。共産党への入党を断ったことが記録されたら、人生の可能性が失われてしまうでしょう。だからスカウトされたら共産党員になるわけです。

９５０万人の出世ピラミッド

中国共産党の序列というのは、見事なまでのピラミッドになっています。全体で９５０

0万人がいるでしょう。その中からおよそ200人が中央委員になるのですね。9500万分の200だから、もう、大変な確率です。本当にエリート中のエリートだよね。そして、この200人の中の25人が政治局委員です。そして、さらにここから7人が政治局常務委員になる。この7人の常務委員のトップが習近平ということになるわけです（図表⑩）。

2021年3月にアンカレッジで行われた米中外交トップ会談で、中国の「共産党ピラミッド」が露わに見える場面がありました。アメリカの外交のいちばんの責任者は国務長官だよね。アントニー・ブリンケン国務長官が中央に座っていました。中国側は誰かと言えば、楊潔篪（ようけつち）という政治局委

図表⑩—**中国共産党組織図**（2021年5月現在）

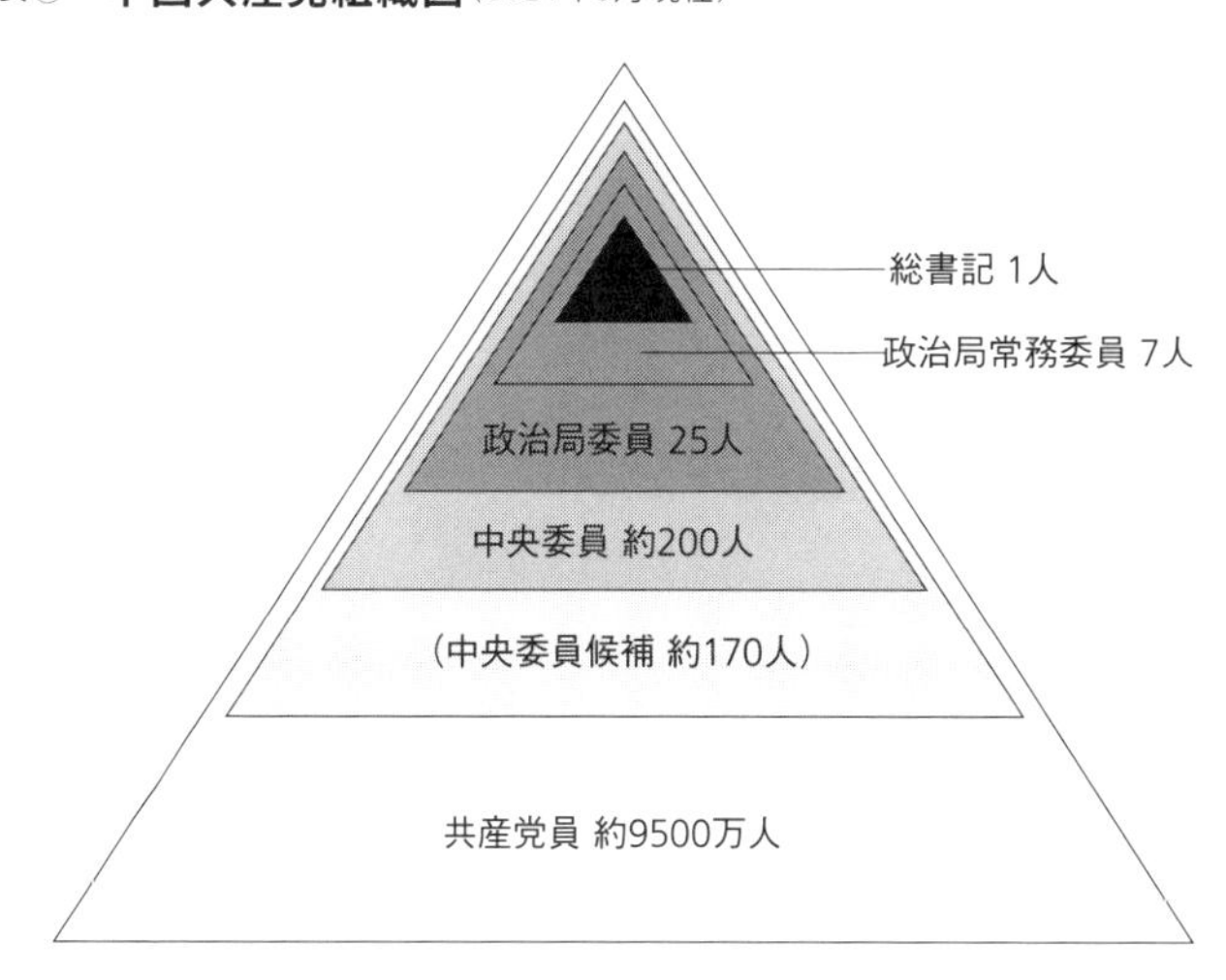

員だったんだよね。

彼は共産党の25人しかいない政治局委員のひとりで外交問題の専門家。その下に王毅（おうき）外交部長（外務大臣）がいたわけ。おかしいでしょう、楊潔篪より外務大臣が下なんだよね。ちなみに、王毅は200人いる中央委員のひとり。共産党の序列では楊潔篪のほうが上なのです。

本来は政府と政府の交渉のはずなのに、共産党が出てくる。外務大臣より偉い外交担当者が中国にはいる。すべては共産党が牛耳っているというのがわかる一幕でした。

この共産党ピラミッドを見ると、それぞれ学業が優秀だったり、仕事がよくできたり、人望が厚い人が共産党員に選ばれ、その中からピラミッドの上のほうへ上がってくるのだから大変な実力社会です。生き残りをかけて、とてつもない努力をしたエリートがトップに立つんだということがわかります（左ページ　写真⑩）。それに比べて、たまたま国会議員の息子に生まれたから国会議員になったり、5、6回当選したら順番で大臣になっちゃったりという、波にもまれていない国の政治家と、とんでもない人数のピラミッドの下から這い上がって来た人が対等に交渉できるかというと、さあ、ちょっとどうかなということになってしまうよね。

さらに、中国の人口は約14億人だから、日本の10倍以上いるわけです。だから、当たり

写真⑩—**中国共産党の主要な指導者**

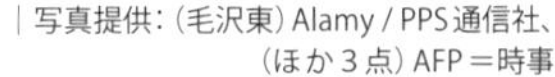
写真提供：（毛沢東）Alamy / PPS通信社、（ほか3点）AFP＝時事

毛沢東(1893～1976)

1921年中国共産党創立に参加。農民運動を指導し労農紅軍を組織。次第に党と紅軍の指導権を握っていく。1949年中華人民共和国の建国に参加。政府主席から国家主席に就任し、大躍進政策、文化大革命を推進した。毛沢東思想を打ち出し絶対的最高指導者として神格化された。

鄧小平(1904～1997)

フランス留学中に中国共産党に入党。帰国後、政治局常務委員などを歴任。二度失脚するが、いずれも許されて復活。再び党の中心に。社会主義市場経済という考えに基づき、1978年から改革開放政策を進める。1983年に国家中央軍事委員会主席に就任し、最高実力者となった。

胡錦濤(1942～)

1964年中国共産党入党。チベット独立運動の鎮圧や経済開発を足がかりに政治局常務委員、国家副主席を歴任し、2002年党総書記に就任。翌年国家主席に選出され、2005年3月国家中央軍事委員会主席に就任、党・国家・軍の三権を掌握。2008年には北京オリンピック開催を成功させた。2012年、退任。

習近平(1953～)

1974年中国共産党入党。福建省長、上海市党委員会書記・党中央政治局常務委員・中央党校校長を経て、2008年国家副主席就任。2012年、胡錦濤の後任として党総書記・中央軍事委員会主席に就任。翌年、国家主席に就任。反腐敗運動などで徐々に権力の集中を図り、強力な指導体制を固める。

前だけど、優秀な人材が日本の10倍いるでしょう。逆に言うと、どうしようもない人も10倍いることになる。これは人口の問題で民族の問題ではありません。だけど、優秀な人材が10倍いるというのは、大変なパワーになるでしょう。中国を見ると、人口というのは大変なパワーになりうるんだなと思います。

祝賀式典で強い中国を誇示

2021年7月1日、中国共産党は結党100周年の祝賀式典を北京の天安門広場で開きました。習近平総書記（国家主席）は、グレーの人民服で中国の礼服にあたる「中山服」を着て登場。それは、天安門広場に掲げられている毛沢東の肖像画と同じ服装です。強国になった中国の指導者として、自らを「建国の父」毛沢東と並び立つ存在だと誇示するようにも見えました。

習近平総書記は、党員や招待客ら約7万人の観衆を前に1時間余り演説しました。「中国共産党がなければ中華民族の偉大な復興はなかった」と党の実績を強調。鄧小平ら歴代指導者が目指した「小康社会（ややゆとりのある社会）」を全面的に達成したと宣言しました。実際には、都市と農村の格差は依然大きく、ゆとりのある生活が全面的に行き渡ったとは言い難いのですが。

さらに、習近平総書記は、アメリカを念頭に置いた外圧を「許さない」とし、強い口調で批判しました。たとえば、「共産党と中国人民を切り離そうとする動きは思い通りにならない」という発言は、中国の共産党員を対象にビザ制限などを行っているアメリカを意識したものでしょう。

また、「有益な提案や善意の批判は歓迎するが、傲慢な態度の偉そうな説教は受け入れない」「我々を虐待、抑圧、支配しようとする外国勢力は決して許さない」と言い、「妄想する者は14億の中国人民が築いた鋼(はがね)の長城にぶつかり血を流すことになる」と、驚くような激しい言葉が飛び出しました。会場では、アメリカを中心とする中国包囲網を牽制する強い言葉が出るたびに、大きな歓声が上がっていましたね。異様な雰囲気を感じた人も多かったのではないでしょうか。

習総書記は台湾問題にも触れて、祖国の完全統一は決して志を変えることのない「党の歴史的任務」であると表明。また香港に対して「中央政府が全面的な統治権を行使する」と語り、外国からの批判に屈しない姿勢を示しました。

習総書記のこの日の演説は、党の成果を強調したうえで、今後は本格的に強国路線を進んでいくぞ、と宣言した内容でした。習総書記は「世界一流の軍隊を築いてこそ、国家主権を守ることができる」とも発言し、軍の強化を加速するとしています。中国はアメリカをしのぐ軍事力を手に入れようとしている。なにやら物騒で、米中の軍事衝突が起きるのではないかと不安になってしまいますね。

「トゥキュディデスの罠」と米中関係

「トゥキュディデスの罠」という言葉を知っていますか？　新興勢力が台頭し、既存勢力の不安が増大すると、しばしば戦争が起こる、という意味を表す言葉です。古代ギリシャの歴史家トゥキュディデス（紀元前４６０年頃〜４００年頃）が、スパルタとアテネの間で起きたペロポネソス戦争（紀元前４３１〜４０４年）の原因は新興国アテネに対するスパルタの恐怖心だった、と著書『歴史』に記したことに由来しています。

ペロポネソス戦争はギリシャの二大ポリス（都市国家）、アテネとスパルタの間で起こった戦争です。スパルタが勝利を収めましたが、四半世紀に及ぶ戦争の長期化により、ポリス社会は衰退しました。

トゥキュディデスは、アテネの一将軍としてペロポネソス戦争に従軍しました。その体験をもとに著したのが『歴史』です。資料を駆使し、多様な視点を盛り込んだ手法から「歴史学」の礎を築いた名著として知られています。

この名著を元に、アメリカの国際政治学者グレアム・アリソンが、２０１３年に米紙ニューヨーク・タイムズで、当時のオバマ大統領と習近平国家主席は「トゥキュディデスの罠」に陥ることを避けるため、大局的に考えなければならないという論考を発表し、話題になりました。

時代や人々の意識が異なる古代の戦争を、現代の米中の対立に類比することへの批判もありますが、人間の考えることには時代を超えた不変性があります。戦争へ人々を突き動かす力には共通するものがある。だからこそ、『歴史』という本が今日まで読み継がれてきたのでしょう。

「歴史は繰り返さないが、しばしば韻を踏む」。同じことは起きなくても、似たようなことは繰り返し起こる。まるで韻を踏むように、という意味です。この言葉は『トム・ソーヤーの冒険』の著者として知られるアメリカの作家、マーク・トウェインの言葉だとされることが多いのですが、確かではありません。ですが、優れた格言だと思います。

米中の軍事衝突は、なんとしても避けなければなりません。バイデン大統領は、中国を「競争相手」と表現しています。習近平国家主席も、地球温暖化やエネルギー問題のような運命共同体としての課題についてはウィンウィン、平等の関係で平和外交を進める方針です。祝賀式典の前には、「信頼され、愛され、尊敬される中国にならなければならない」とも語りました。裏を返せば、大国になった今の中国が国際的な理解を得られていないと認めているわけですね。

当面、米中が「トゥキュディデスの罠」にはまるとは思いませんが、私たちは、今後の米中関係と、二大国を取り巻く国際情勢を注視する必要があるのです。

第5章
「世界の工場」から見る中国

日本にもあった「安かろう、悪かろう」の時代

中国は21世紀に入ってからずっと「世界の工場」といわれてきました。外国の企業・工場の進出を積極的に受け入れて、新しい技術やノウハウを学びました。そして、国内で加工・生産した製品を輸出し、国力を高めてきたのです。

最初に「世界の工場」となったのは、19世紀のイギリスでした。産業革命以後、1国で世界の工業生産額の半分を占めていたことから、イギリスの経済力や国際的な地位を端的に示す言葉として用いられたのです。20世紀に「世界の工場」となったのはアメリカです。アメリカと日本の2国だという説もあります。20世紀後半、確かに日本も工業大国になって、世界を席巻しました。そして、21世紀の今、「世界の工場」は中国に移ったのです。

君たちのイメージとは違うかもしれませんが、私の世代だと、中国製品といえば「安かろう、悪かろう」の印象がずっとあるのです。では日本製品はどうなのかというと、君たちは極めて高品質だと思っているでしょう。でも、日本も昔はそうじゃなかった。「メイドインジャパン」が、粗悪品の代名詞だった時代もあるのです。

今から100年くらい前、第一次世界大戦（1914〜18年）で、ヨーロッパが戦場

になった時のことです。

Q 日本は第一次世界大戦に参戦していたか、していないか、どちらですか？

――参戦して…いました。

はい、よく引っかかりませんでしたね。ヨーロッパが戦場だったせいで、参戦していたと言われても、ピンとこない人が多いのではないでしょうか。

第一次世界大戦は、帝国主義国家がドイツ・オーストリアを中心とした同盟国と、イギリス・フランス・ロシアを中心とした連合国のふたつに分かれて争いました。日本はイギリスの同盟国だったことから、連合国側の一員として参戦したのです。

イギリスからヨーロッパに軍隊を送ってほしいという要請を受け、海軍が地中海に艦隊を派遣しました。イギリスの輸送船などをドイツの潜水艦Uボートから護衛しましたが、Uボートの攻撃を受けて59人の日本人兵士が亡くなっています。

第一次世界大戦で戦場にならなかったのはアメリカと日本くらいでした。そのため、イギリスやフランスなどヨーロッパの国々が、日本からさまざまなものを輸入しました。ところが、品不足に乗じて、メイドインジャパンの粗悪品が次々と出てきたのです。シャツを着ようとしたら、ボタンがポロポロと落ちてしまう。なんと、シャツにボタンを糊付けしただけで、1個ずつ糸でとめていなかったのです。信じられないけど、本当にあった話です。あるいは、海産物を日本から輸入したら、魚の腹の中にくぎとか、いろんな鉄製品がいっぱい入っていた。これは魚を重くすることで高く売るための悪徳商法です。また、両端にしか芯の入っていないキセル鉛筆なども現れ、「メイドインジャパンは安かろう、悪かろう」と言われるようになってしまいます。

第一次世界大戦以降、第二次世界大戦後のしばらくの間、「メイドインジャパン」は粗悪品の代名詞になっていました。そのため、第二次世界大戦後、日本の製品を輸出しようとしても、まったく相手にされなかったのです。

そこで、日本はアメリカなどの衣料製品や電気器具の下請け工場になって活路を見出そうとします。品質のいいシャツや下着はこうやってつくるのだという技術を必死になって勉強して、少しずつ評価を上げていきました。

1950年代後半になって、トヨタが乗用車をアメリカに輸出できないかと考えはじめます。試しにトヨタのクラウンをアメリカに持っていって、高速道路で走らせました。ところが、時速100キロを出したら、車体が揺れ出して、そのままだと走行中に壊れるのではないかという気配になり、慌てて車を止めました。日本の自動車をアメリカで売るなんて時期尚早だと言って断念したという有名なエピソードがあります。今、日本ではドイツ製の自動車の人気が高く、性能が優れていて高級だと思われてたくさん売れています。それに比べると、アメリカ車にはそこまで高性能なイメージもなく、あまり売れていません。日本車のほうが低燃費で高性能だと思っている人も多いでしょう。しかし、この頃の日本車は、アメリカ車にもまったく太刀打ちできなかったのです。自動車メーカーの努力によって性能がぐんぐんよくなっていったのは、１９７０年代後半になってからのことでした。

その後、日本のいろんな分野の技術者たちが、品質のいいものをつくろうじゃないかと懸命にがんばります。その結果、次第にメイドインジャパンは品質がいいという評価に変わっていったのです。１９７９年に発売されたソニーの「ウォークマン」は、メイドインジャパンのイメージを変えた、象徴的な製品です。世界初の携帯オーディオプレーヤーとして世界中で人気が爆発し、メイドインジャパンはすごい、最先端で高品質だというイメージを広めました。今、中国がまさにその途中段階にいるのです。

鄧小平の「改革開放政策」が始まりだった

現在の中国が発展するきっかけになったのは、1978年に、鄧小平が「改革開放政策」を始めたことです。この場合の「改革」というのは、それまでの自由な活動が一切できないやり方を改め、資本主義生産方式を導入すること。「開放」というのは、それまでの鎖国のような状態を改めて門戸を開放し、海外からの投資を受け入れるということです。海外のいろんな企業が投資をするということは、中国国内に外国の企業が入ってきて工場をつくることを認めたわけです。

――鄧小平は思いきった選択をしたと思いますが、どんな人だったのでしょうか?

鄧小平は、プラグマチスト(実利主義者)だといわれています。彼が言った、動物を使った有名な言葉がありますね。知っていますか?

――白いネコでも黒いネコでもネズミを取るのがいいネコだ。

はい、白ネコ黒ネコ論として広く知られていますね。鄧小平は、経済が発展するなら、資本主義だろうが社会主義だろうがかまわないだろう、という意味で言ったのですね。鄧小平という人物の実利的な考え方がよく表れた言葉です。前の章でも述べましたが、鄧小平は「豊かな社会主義」を目指していました。国を強くするためには国民が豊かにならなければいけない、という信念を持っていたのです。

しかし、鄧小平の実利的な考え方は当時の中国共産党主流の考えと相いれません。共産党の幹部たちから批判され、地方に追いやられていたこともありました。それでも呼び戻されて復権したのは、誰もが彼の優秀さを認めていたからでしょう。

――鄧小平はなんだか型破りな人物ですね。

鄧小平は1904年に、四川省の裕福な地主の家で生まれました。学校入学前から家庭教師をつけるほど、教育熱心な親だったそうです。16歳の時にフランスへ留学します。留学といっても苦学生でした。第一次世界大戦直後のフランスは労働力不足に悩んでいました。そこで、賃金の安い中国人を導入するため「働きながら学ぶ」(勤工倹学)というプロジェクトを始め、鄧小平はそれに応募したのです。ルノーの自動車工場などで働きながら勉強を続けた鄧小平は、共産主義思想に触れ、1924年には同じくフランスに留学していた周恩来とともに、現地で共産主義の機関誌『赤光』の編集を始めます。

パリでの共産主義運動がパリ警察に摘発されたこともあり、鄧小平はソ連に移ります。ソ連では、アジアでの社会主義運動の担い手を養成するモスクワ東方勤労者共産大学に入学。その後、中国人だけを対象とするモスクワ中山大学に移りました。1927年、中国に帰国。中国共産党に合流し、毛沢東と知り合い、行動をともにするようになります。
文化大革命の際に失脚し、3年4か月の間、江西省に追放され、夫婦そろってトラクター修理工場で働きました。その後、毛沢東に復帰を願う手紙を送り、これが認められて副首相となり、政治的復活を果たします。しかし、1976年、周恩来の死を惜しむ群衆が天安門に集結した事件で、鄧小平がこれを画策したとでっち上げられ再び失脚。それでも毛沢東が死ぬとまた復活しました。2度失脚し、2度とも復活を果たしたことから「不死鳥」と呼ばれましたね。1997年に92歳で亡くなりました。中国経済の発展の礎を築いたことから、中国では「改革開放の総設計師」と呼ばれています。

Q 鄧小平は中国のトップである国家主席になっていません。それなのに「改革開放政策」をなぜ実行できたと思いますか？

――わかりません……。

国家主席になると、何か失敗をしたら責任をとらなければならないでしょう。頭のいい鄧小平は常に裏から政治を操りました。胡耀邦、趙紫陽という自分の腹心を国家主席や共産党総書記に据え、ナンバー2の立場で、思いきった政策を実行したのです。また、国家主席にはなりませんでしたが、人民解放軍を動かす最高責任者である共産党中央軍事委員会主席の座は鄧小平が握っていました。

中国の軍隊である人民解放軍は、国の軍隊ではなく共産党の軍隊なのです。どの国の軍隊も国のトップの指示に従うのが普通でしょう。人民解放軍というのは世界でも大変珍しい軍隊です。人民解放軍の最高責任者は、何かあったら軍隊を動かすことができるのだから、最強の権力者ともいえるでしょう。実質的な「最高実力者」の地位を欲した鄧小平の評価は、人によって分かれると思います。でも、鄧小平という人物がいたからこそ、現在の中国の繁栄があるのです。

先進国の技術とノウハウを吸収した

突然、資本主義経済を導入することになった中国の人たちは戸惑いました。社会主義国家では資本主義の悪いところばかりを教えられてきたからです。金儲けのためなら何をやってもいい、人をだましても金儲けできればいい、それが資本主義社会だ、といった具合です。結局、資本主義経済を正しく理解せずに、粗悪品を売って金儲けできればいい、と考えてしまいます。

長期的に見れば、粗悪品を売りつけたら、自分の信用が失われるよね。そのあと、継続的なビジネスができなくなります。でも、最初はわからない。かつての日本もそうだったわけだよね。ソ連が崩壊してロシアになった時も同じでした。中国も、とにかく粗悪品をつくって輸出して金儲けをすればいい、というところから始まったわけです。その結果、中国製品は安かろう、悪かろうというイメージが広がってしまいました。

一方で、外国の企業を誘致したため、中国には世界中の電機メーカーや自動車メーカー、衣料メーカーなど多くの企業の工場がたくさんつくられました。中国は、外国企業を受け入れる際にハードルを設けました。それは外国企業が中国で会社をつくる場合は、中国の会社と一緒になって「合弁会社」をつくらなければならないというものでした。

そして、合弁会社の株式の51％は中国の企業が持ち、外国の企業は49％しか持つことができないことを決めたのです。するとどういうことが起きるのか。株式会社では、株主総会で重要なことを決める時、株をたくさん持っているほうの意見が通るでしょう。外国企業を受け入れても、いざという時には中国側が主導権を握れるように定めたというわけです。また、中国は、海外企業に対して現地進出を認める条件として技術の完全な公開を求めました。

中国はとにかく人件費が安かったので、彼らにつくらせれば安くできる。でも粗悪品をつくられては困る。結果的に、品質のいいものをこうやってつくるのだ、という技術や管理の方法を海外企業が徹底的に教えることになったのです。それを中国側は全部しっかりと吸収していきました。

君たちもよく知っている企業の例でいえば、ユニクロやGUを展開するファーストリテイリングかな。会長兼社長の柳井正さんは、お父さんが経営していた山口県の小郡商事という紳士服店を2店持っているだけの小さな会社を継いだのですが、国産の紳士服の小さなお店に将来性はないと感じました。もっと世界に目を向けようじゃないか、これからカジュアルな服を安くつくるなら中国だと確信し、いち早く中国の工場と提携して低価格で服を調達する仕組みをつくりました。でも、粗悪品をつくられては困るから、品質管理を厳重に行ったのです。

ユニクロで商品を買うとタグにいろんな数字だったり文字が書かれていたりします。あれは全部、どこの工場のどの生産ラインでつくられたかがわかるデータになっています。万一、不良品があった場合、タグを見れば製造した工場の生産ラインがわかるので、すぐに製造元に指摘して改めることができるわけです。

中国の人たちは、海外のさまざまなメーカーの商品をつくる中で、初めて生産管理を学び、どうやって品質のいいものをつくるのか、どうすれば効率よくつくれるのか、ということを模倣から始めて学習していきました。その結果、みるみる品質がよくなってきたのです。世界中の有名ブランド品が、実は中国でつくられていた。ブランドの高品質なものづくりを学んだ中国は、今度は自分たち独自のオリジナルブランドをつくって売るようになるのです。

たとえば、中国のＡＮＴＡ（アンタ）というスニーカー（写真⑪）。欧米の有名ブランドのスニーカーの下請けとして吸収したノウハウをもとに、中国のスポーツメーカーが立ち上げた独自ブランドです。日本では、まだあまり知られていませんが、中国のスポーツ競技大会で選手たちが履いているのは、今やみんなＡＮＴＡのスニーカーです。

ＡＮＴＡブランドを製造販売している「安踏体育用品（あんとう）」は１９９１年に福建（ふっけん）省に創設され、２００８年の北京オリンピック

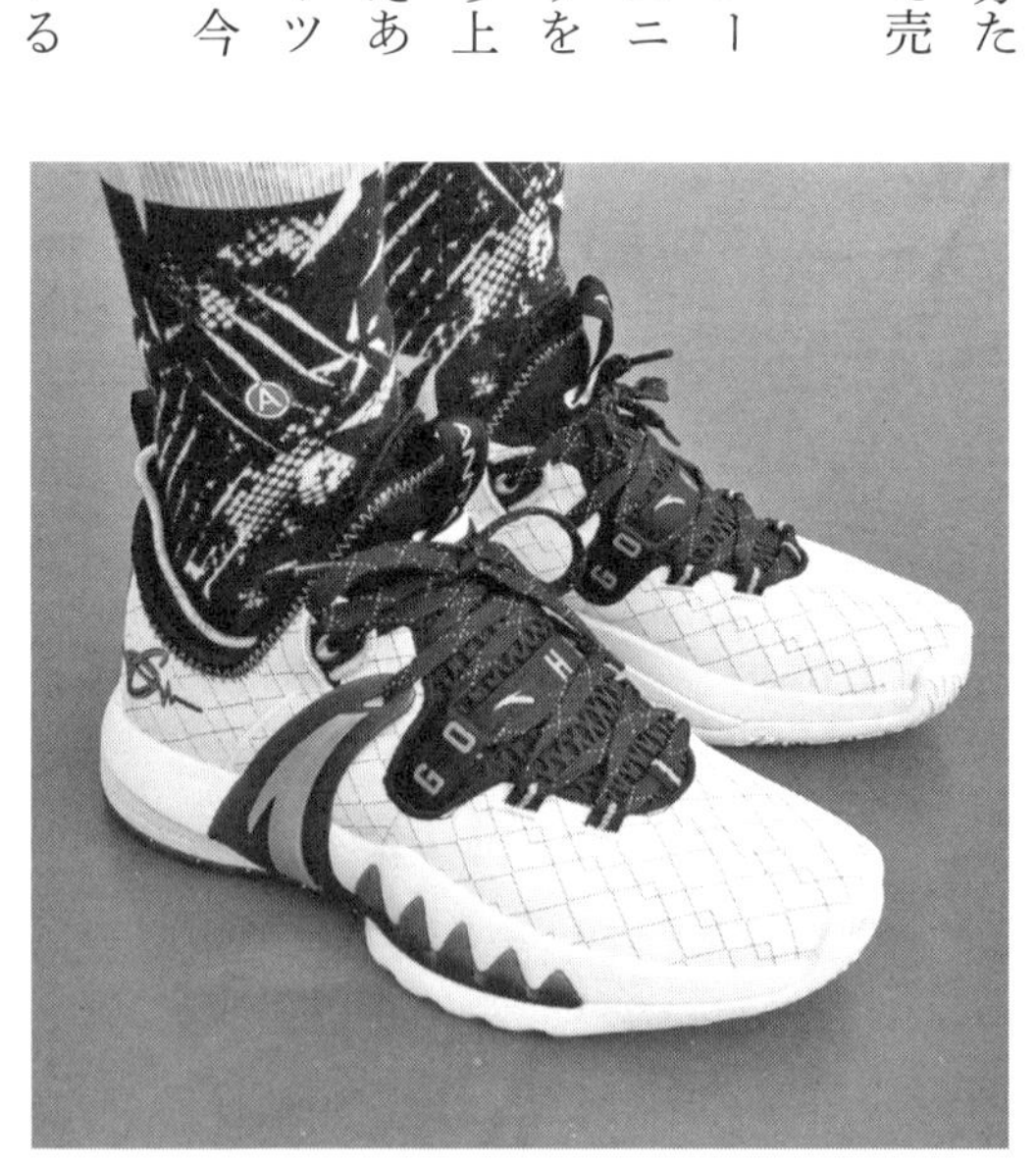

写真⑪ —「ANTA」のスニーカー（ANTAのホームページより）

で飛躍的な成長を果たし、中国の最大手スポーツメーカーになりました。

２０２０年の純利益は、ドイツのスポーツ用品大手アディダスを上回ったと報道されました。ヨーロッパが新型コロナの感染拡大で大きな痛手を被ったことを差し引いても、ＡＮＴＡの勢いと好調ぶりがわかりますね。

中国では、今、政府当局による偽ブランド撲滅運動が始まっています。日本でも、高度経済成長期の頃、有名ブランド品にそっくりの偽物商品が盛んに売られていました。急速に発展したものの、世界標準のモラルやルールは身についていなかったのですね。貧しかった国が急激に発展すると、どの国でも起こりうることです。少し前までは韓国も偽ブランド品だらけでした。今は、韓国も偽物の製造販売を厳しく取り締まっています。言ってみれば、中国は30〜40年くらい前の日本のあとを追いかけている状態なのです。

実は私も子どもの頃は、ブランド品にそっくりなものをつくって何が悪いのだろう、安く売ったっていいじゃないかと思っていました。著作権とかオリジナルとかの価値を理解したのは、かなりたってからです。世界標準のモラルやルールが定着するには、非常に時間がかかるものなのです。

パソコンも家電もシェアトップは中国

現在の中国が、大きな課題としているのは、独自のグローバルなブランドを樹立するということです。世界中が「あっ、これはいいブランドだね」と思うものをつくって、ナンバーワンになっていこうとしています。そして、その課題は達成されつつあります。

Q今、世界でパソコンのシェア1位のメーカーはどこでしょう?

――「レノボ」ですか?

そうです、レノボだよね。安くて品質がいいでしょう。レノボは中国発祥のメーカーですが、2004年にIBMのパソコン部門を買収したんだよね。これが、大きく飛躍するきっかけになりました。IBMは基本的にビジネス用の大型コンピュータをつくってきましたが、一時、パーソナルコンピュータにも手を出した。だけど、あまり利益が上がらない、どうもうまくいかないというので、レノボにパソコン部門を売却したのです。

この時にもともとIBMの主力商品だった「シンクパッド(ThinkPad)」を受け継ぐことになりました。IBMのブランド力と品質のよさを土台に売り上げをどんどん伸ばし、ついに世界一のシェアを誇るようになったのです。２０１１年にはＮＥＣと合弁会社を設立して日本でのブランド力も高めました。

では、冷蔵庫や洗濯機などはどうでしょう。冷蔵庫や洗濯機は白いものが多かったから、一般的に「白物家電」と呼ばれています。この分野のシェアトップは「ハイアール（Haier=海尔集团）」です。日本でも家電量販店へ行って、ひとり用の小さな冷蔵庫を買おうとすると、安いしデザインもいいしと薦められるのは、だいたいハイアールの冷蔵庫でしょう。

ハイアールの白物家電がシェアトップになった背景には、日本の家電メーカーが大いに関係しています。ハイアールは、現在パナソニックの子会社になっている三洋電機の白物家電事業をすべて買収したのです。２０１１年に、三洋電機の経営が苦しくなってパナソニックの子会社になる時、三洋電機はパナソニックと重複する事業をリストラして売却しました。その相手がハイアールだったというわけです。三洋電機から受け継いだ製品についてはハイアールではなく「アクア（AQUA）」のブランド名で展開しています。

ハイアールは三洋電機の白物家電部門を買収したあと、アメリカのＧＥ（ゼネラル・エレクトリック）の家電部門も買収しました。ＧＥは発明王トーマス・エジソンに端を発する世界最大級の巨大複合企業です。ハイアールは、日米を代表する企業の家電部門を買収する戦略が功を奏して、シェアトップにのぼりつめました。

ハイアールに関しては有名な話があります。１９８０年代に、日本の家電メーカーが中国に洗濯機を輸出したんだけど、農村地帯で、その洗濯機がすぐ故障をする。日本製品はすぐ故障するじゃないかと、クレームがきた。そこで、日本の家電メーカーが、なんで故障をするのだろうと見に行ったら、衣類ではなくジャガイモの泥を落とすために洗濯機を使っていた。泥が排水管に溜まってしまって、洗濯機が機能しなくなったとわかったのです。

この時に、日本のメーカーは、笑い飛ばして終わり。でも、中国のハイアールは、「そうか、ジャガイモを洗うという使い方があるのか、じゃあ排水管を大きくしてジャガイモも洗えるようにすればいいだろう」と実際にやったわけ。結果的に、ハイアールが中国でもシェアを広げたという話です。どこにニーズがあるのかを知った時に、それに合ったものをつくるかつくらないか、その違いだよね。かつては、日本企業が、そういう細かいニーズに応える製品をつくってきたのですが。

日本の家電メーカーの事業買収が飛躍のきっかけ

家庭用エアコンのシェア1位はグリー（珠海格力電器）、2位がマイディア、3位がハイアール。1位から3位まで全部中国です。このうちマイディア（Midea＝美的集団）というのは、日本ではあまり馴染みがないメーカーですが、2016年に東芝の白物家電事業を買収しています。現在、東芝ブランドの白物家電事業は、マイディアグループ傘下で行われているのです。東芝の白物家電製造のノウハウ、技術を吸収し、どんどん勢力を伸ばしていったということですね。

日本で生活しているとわかりづらいのですが、海外に行くと、安くて品質がいいのは中国製品だというイメージが徐々につくられつつあります。かつて、日本が1960〜70年代に、世界のさまざまな企業の下請けとなって技術や品質管理を学んだように、中国もそれをやり、現在は自社ブランドで世界に展開しているというわけです（P174図表⑪）。しかも、品質のいいものを売ってこそビジネスが継続して成り立つ、ということも意識するようになりました。こうして、中国は今、「安かろう、悪かろう」から「安くて高品質」に変わりつつあるのです。

これまで日本は、率直に言うと中国を下に見ていたと思いますが、いつの間にか、多くの分野で逆転されたということですね。君たちのさらに下の世代の人が大人になった時、メイドインチャイナが高品質の代名詞になっているかもしれないのです。

図表⑪—**中国企業の世界シェア**

主な品目の世界シェアの状況｜出典：聯合ニュースなどをもとに編集部で作成

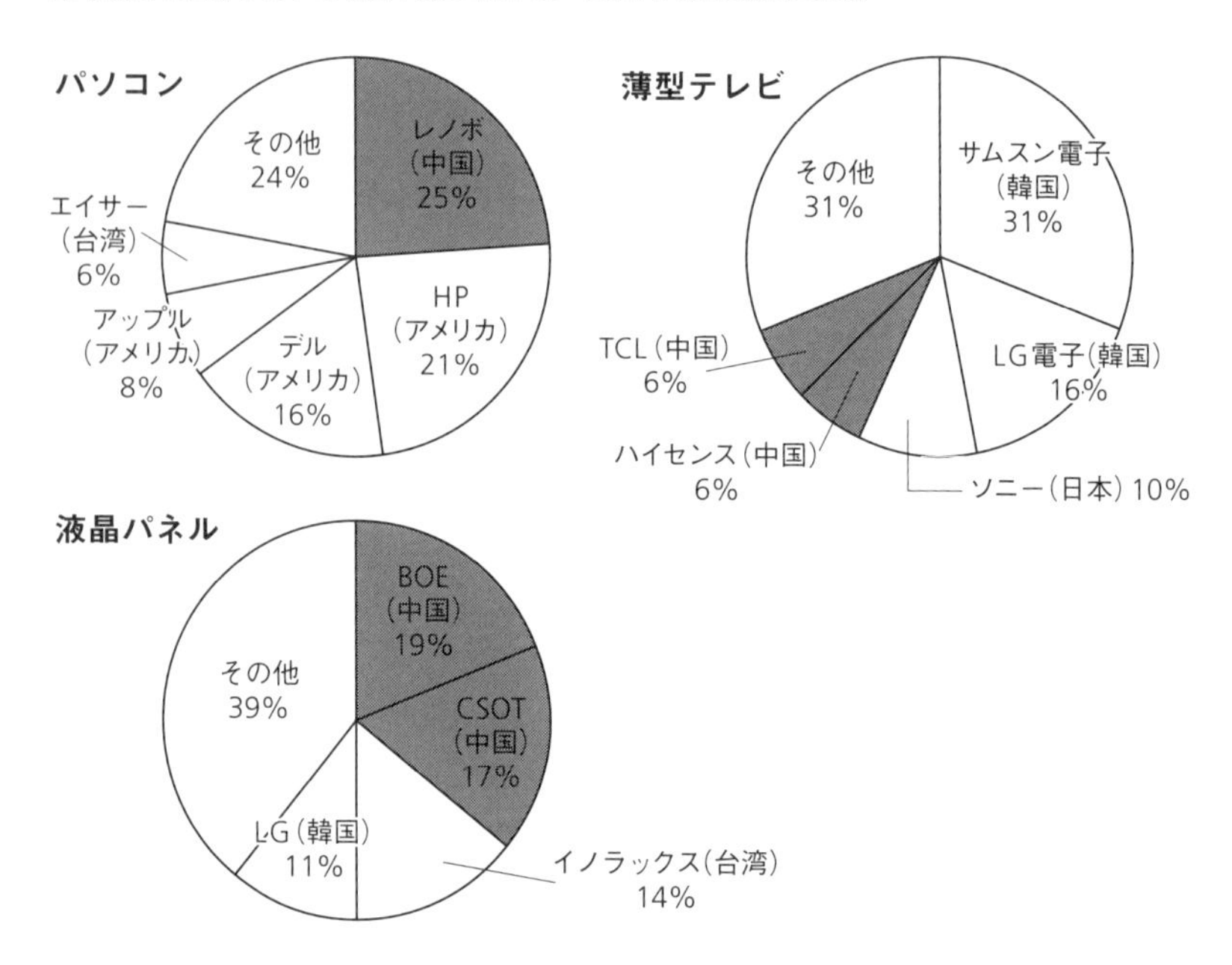

世界家電メーカー収益額ランキング2020｜出典：Statista

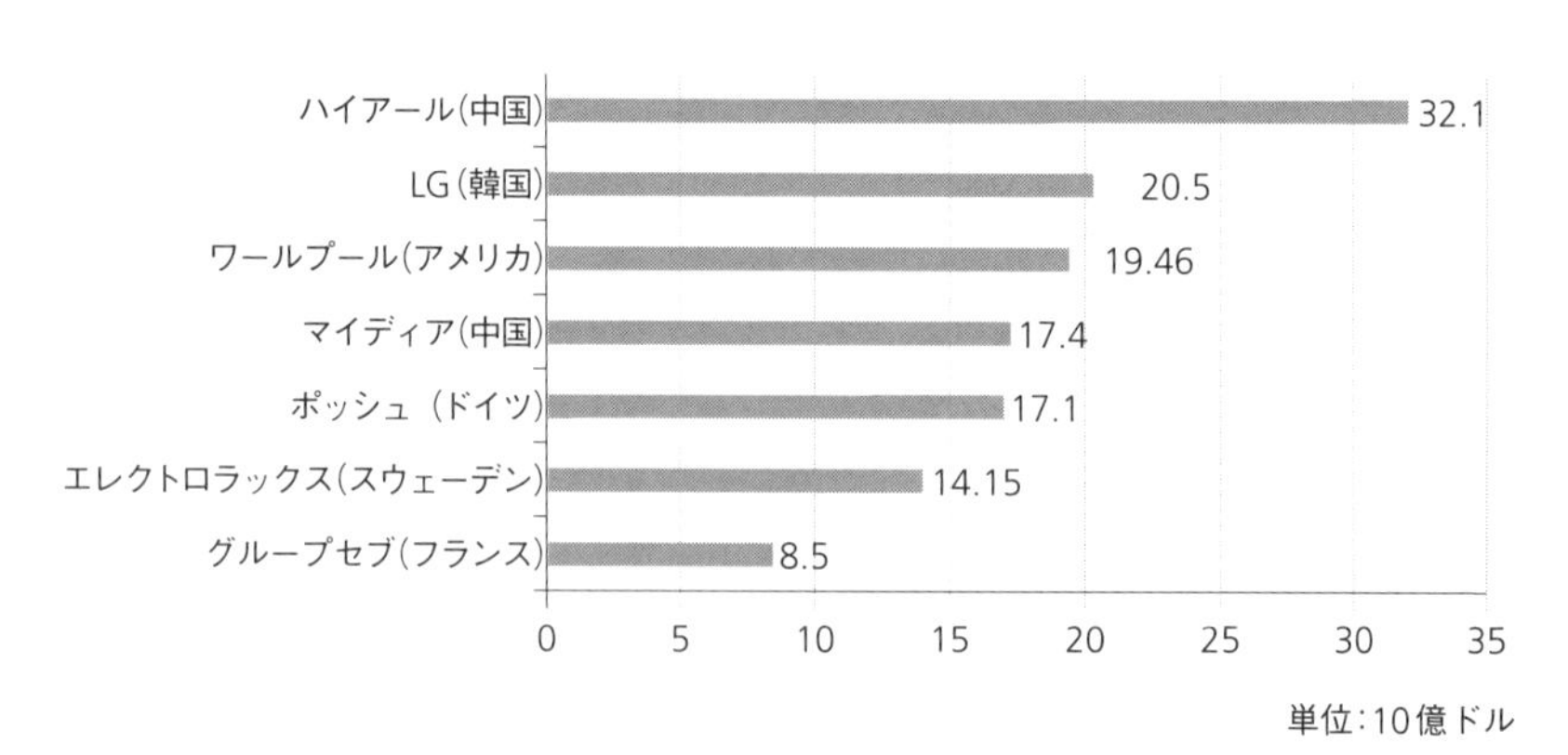

「中国製造２０２５」に見る中国の野望

２０１５年、中国は製造大国から製造強国を目指すぞという経済政策の方針を発表しました。それが「中国製造２０２５」です。その中で中国は、２０４９年までに3段階の戦略目標を設けています。

Q ２０４９年は中国にとって特別な年です。どんな年でしょう。ヒントは、中国が建国されたのは何年だったか…。

――**中華人民共和国が建国して１００周年の年になります。**

そのとおりです。２０４９年は中国建国１００周年です。２０２１年が中国共産党１００周年でしょう。中国は「ふたつの１００年」を意識して、産業対策を立てているのです。

「中国製造２０２５」の3段階の目標とは、次のようなものです。

1. ２０２５年までに「製造強国」への仲間入りをする
2. ２０３５年までに世界の「製造強国」の中等レベルへ到達する
3. ２０４９年までに「製造強国」のトップとなる

この戦略目標を立てた2015年の段階で、中国は製造大国になっていました。世界中からさまざまな仕事を請け負って大量に生産をしています。でも、品質がよいものばかりではないし、世界で知られているブランドも少ない。本当に高品質で、有名で、世界が認める製品をつくっている国が「製造強国」で、アメリカや日本、ドイツ、イギリス、フランスなどヨーロッパを念頭に置いているのです。2025年までに、中国もそのグループと肩を並べるぞ、というのが第1段階の目標です。

次の10年の目標は、製造強国のグループの中ランクまで地位を引き上げること。そして2049年には製造強国のトップへ、つまり、アメリカ、ヨーロッパ、日本を凌駕して世界のトップに躍り出るのだという国家目標を世界に示したのです。さらに、次世代情報技術や新エネルギー車など10の重点分野と23の品目を設定し、製造業の高度化を目指すとしています。少し前には、中国共産党の中央委員会が、科学技術部門で「十年一剣を磨く」と言いましたね。

Q「十年一剣を磨く」とは、どういう意味でしょう？

――そのまま読むと、1本の刀を10年かけて磨いていくという意味ですよね。10年かけて科学技術部門を成長させるということですか。

「十年一剣」には、もう少し強いニュアンスが感じられます。刀を10年かけて磨いていくぞというのは、中国が世界の科学技術部門で世界のトップに立たなければいけない。そのための努力を惜しんではいけない、ということでしょう。中国は、科学技術部門でとにかく世界のトップに立つのだという方針を打ち出しているのです。

歴史的に見ると、中国が経済の計画的な発展を考えるきっかけになったのは、日本の成功でした。鄧小平が、「改革開放路線」を始めた１９７８年に来日し、近代化が進んだ日本を視察しました。東海道新幹線に乗ったり、日産自動車や新日鉄、松下電器（当時）の工場を精力的に視察したりしています。

翌年、大平正芳首相が中国を訪問し、鄧小平と会談した際、大平首相が「中国の将来像はどんなものか」と問いかけました。大平首相は、10年で日本の勤労者の所得を倍増する「所得倍増計画」を立てた池田勇人内閣で、官房長官を務めていました。この計画だけが理由というわけではありませんが、日本はその後、高度経済成長の波に乗ったのです。この経験から、中国にもそのような計画はあるのか、とたずねたのです。

この質問をきっかけに、鄧小平は中国経済の計画的発展を真剣に考えるようになったといわれています。日本がどうしてこんなに発展できたのか。社会主義的な計画経済をしっかりやっていたからだと、鄧小平がいたく感動して、１９８０年代から20世紀末までの20

年間の中国の発展目標を、ひとりあたりのGNP（国民総生産）で2倍にするという方針を出しました。日本から社会主義的なやり方を学んだというのは皮肉な話ですが、それ以降、中国では、経済を発展させるために長期的なロードマップを作成しているのです。

中国の新たな戦略「双循環（そうじゅんかん）」

トランプ前政権の時に、米中関係はものすごく悪化したでしょう。アメリカが中国製品に高い関税をかけました。高い関税をかければ、当然のことながら、アメリカで中国製品が売れなくなります。そういう状態を見て、習近平国家主席が打ち出した方針が「双循環」です。

「双循環」は文字どおりだと、ふたつの循環という意味。では、ふたつの循環とはなんでしょうか。中国製品を世界中に売るという世界を舞台にした循環と、中国国内でものを売っていくという中国国内の循環、そのふたつを目指そうという方針です。

つまり、これまで中国は世界の製造大国だった。世界中の企業の下請けとなり、製品をつくり、海外に安く売っていた。しかし、アメリカが中国に対して敵意を燃やしてくる。バイデン政権も中国に対して厳しい姿勢をとっています。ということは、世界に中国製品をこれまでのように売れなくなるかもしれない。でも、中国国内には14億人の消費者がいるじゃないか。今度は内需に力を入れれば、14億人のマーケットとして十分発展することができるだろう。世界でも売るし、中国国内でも売るのだという方針を採っているのです。

やっぱり、「数は力」だよね。内需にも力を入れ出した中国と対照的なのは韓国です。韓国は国内の人口がざっと5000万人でしょう。5000万人が相手では十分利益が上がらないわけ。だから、サムスンとかヒュンダイとか、韓国の場合は最初から世界を舞台に売れるためにはどうしたらいいか、ということを考えるのです。

日本は1億2600万人でしょう。1億人以上いるので、日本国内のマーケットだけを考えても、まあまあ利益が上がります。無理に海外へ出ていかなくてもいいということになる。日本人だけが喜ぶものを商品化していれば大丈夫なわけです。最初から世界をマーケットに考えるのと、国内だけで考えるのでは、ずいぶん違うだろうと思うのです。エンターテインメントの分野でも韓国の場合、K-POPや近年の映画・ドラマなどは、世界を意識してつくられていると感じます。

最近、対話アプリのLINEが中国の関連企業にシステム開発を委託し、中国人の技術者が日本の利用者の個人情報にアクセスできる状態になっていたことが報道されたよね。また、LINEのサーバーが韓国に設置されていたことも明らかになりました。LINE

はもともと韓国企業のネイバー（NAVER）がつくったものですが、日本国内の利用者が8600万人規模にのぼります。君たちも使っているんじゃないかな？

中国のほうが優れたIT技術者を安く雇うことができる。あるいは、サーバーを日本で維持するのは大変だから韓国に任せよう。なんでも安ければいいだろうとやっていたら、情報が漏洩してしまうのではないかということに、ようやく気がついたわけです。ITをはじめ、さまざまなところで日本が立ち遅れてしまったなと思わざるを得ない状態になっています。

深圳のバスやタクシーはすべて電気自動車

「中国製造2025」で示したように、中国はもっと工業を発展させようという「工業化」、それから次世代のIT技術による「情報化」を目指しています。では、そのほかに何を目指すのかというと、ひとつは「都市化」です。今、都市と農村の格差が非常に大きい。もっと近代的な生活をみんなが送れるようにしようということ。もうひとつは「農業の現代化」です。中国では、まだ人の作業に頼るところが大きい。もっと最新の技術を使って農業の生産性を上げよう。この四つを、国を挙げて進めようとしています。

これをすべて達成したら、２０４９年に中華人民共和国１００周年を迎えた時、中国はどれだけ強い国になっているか、私たちは認識しておかなければいけないでしょう。これまで私たちは日本のほうがなんでも進んでいると思っていた。でも、中国の現実をしっかり見ることが必要だと思います。

――中国の工業化で環境問題が浮上しました。これから製造強国を目指して、ますます都市化が進むと、中国の環境問題はどうなっていくのですか？

中国は今から5、6年前まで、大気汚染や水質汚染が、それは悲惨な状態でした。10年くらい前は、深圳の大気汚染がひどくて、西の風に乗って香港まで大気汚染の風が吹いてきました。中国政府が香港に政治的な圧力をかける前は、香港に世界中から金融関係のビジネスパーソンが家族とともにやって来て生活していましたが、大気汚染がひどすぎるので、家族は帰国して、本人だけ単身赴任するのが普通になっていたほどです。

ところが今、深圳はクリーンになっています。共産党の号令で公共分野の車を全部電気自動車（EV = Electric Vehicle）にしたからです。中国政府が発表したエコカー普及戦略によれば、２０３５年までに公共分野の車を全面的に電動化するとしています。深圳では、バスもタクシーも１００％電気自動車です。

電気自動車のいちばん難しいところは、充電です。充電するのに通常とても時間がかかるからです。でも、深圳のバスやタクシーの充電は数分で終わります。なぜなら、あらかじめ充電したバッテリーを交換するだけだからです。

――バッテリーの交換をする以上、規格を統一するか、全部1社が請け負わないとできないと思いますが、どうなっているのでしょう？

報道によれば、深圳の場合は、地元企業1社が公共交通のほとんどの電気自動車を供給しています。だから規格は全部同じでしょう。タクシーやバスの形はだいたい同じです。結果的に、規格が統一されることになるでしょう。

ヨーロッパでも、2030〜40年頃までにガソリン車の販売が禁止されて、電気

写真⑫―山西省大同市にある太陽光発電所はパネルがパンダの形に並べられている
｜写真提供：EPA＝時事

自動車に移行する予定です。つまり、これからのことを考えたら、気候変動・地球温暖化対策にビジネスチャンスがある。だから、今、急激に中国で環境対策が進み始めています。この分野でも中国は最先端を行こうとしています。太陽光発電の発電機の世界トップシェアも中国です。中国のあちこちに太陽光発電のパネルがずらりと敷きつめられている状態になっています（右ページ　写真⑫）。中国恐るべし、でしょう。

チャイナ・プラスワンのプラスワンはどこか

――「中国製造2025」で、中国の製品がどんどん高品質になって、中国がもっと豊かになっていくと、人件費が安いという特徴はなくなってしまうのではないですか？

そうですね。実は中国の人件費は急激に上がっています。鄧小平が改革開放を行った時、豊かになれる人から先になっていけばいい、という「先富論（せんぷろん）」を唱えました。最初のうちは北京や上海などの沿岸部で急激に経済が発展します。一方で、内陸部の人たちは非常に貧しく、都市に行けば仕事がある、高い給料がもらえるというので、都市部にやってきました。この人たちを農民工といいます。結果的に、農民工が大勢集まり、経営者の立場が強くなって給料は上がりませんでした。

そういう状態がしばらく続きましたが、やがて「先富論」どおりに内陸部の農民工の給料も少しずつ上がり始めます。だんだん給料が上がってきたら、もう北京や上海まで出なくても、内陸部の都市でそれなりに給料をもらえればよい、という人たちが増えました。そして、ついに沿岸部の工場地帯の労働力不足が起きるようになったのです。給料を上げないと人を雇うことができなくなりました。それで、中国の労働賃金がぐんぐん上がっていったのです（左ページ　図表⑫）。

今、日本の企業もベトナムやカンボジア、ミャンマーなどに進出しています。だから、ミャンマーでクーデターが起きてしまって、日本企業はどうしようかと非常に悩んでいます。つまり、それだけ中国以外に企業が進出しているということです。中国以外にも別の国に製造拠点を構える、これを「チャイナ・プラスワン」と呼んでいます。

Qプラスワンで、日本企業がいちばん進出している国はどこでしょう？

――ベトナム……？

そうです。ベトナムです。でも、ベトナムの給料もどんどん上がって今は日本企業が困っている状態です。だから、カンボジアやミャンマーという、まだ人件費が安い国へ移っていっています（左ページ　図表⑬）。

図表⑫—**中国の業種別平均年間賃金の推移**(非民間企業)

|出典:中国統計年鑑 2019年

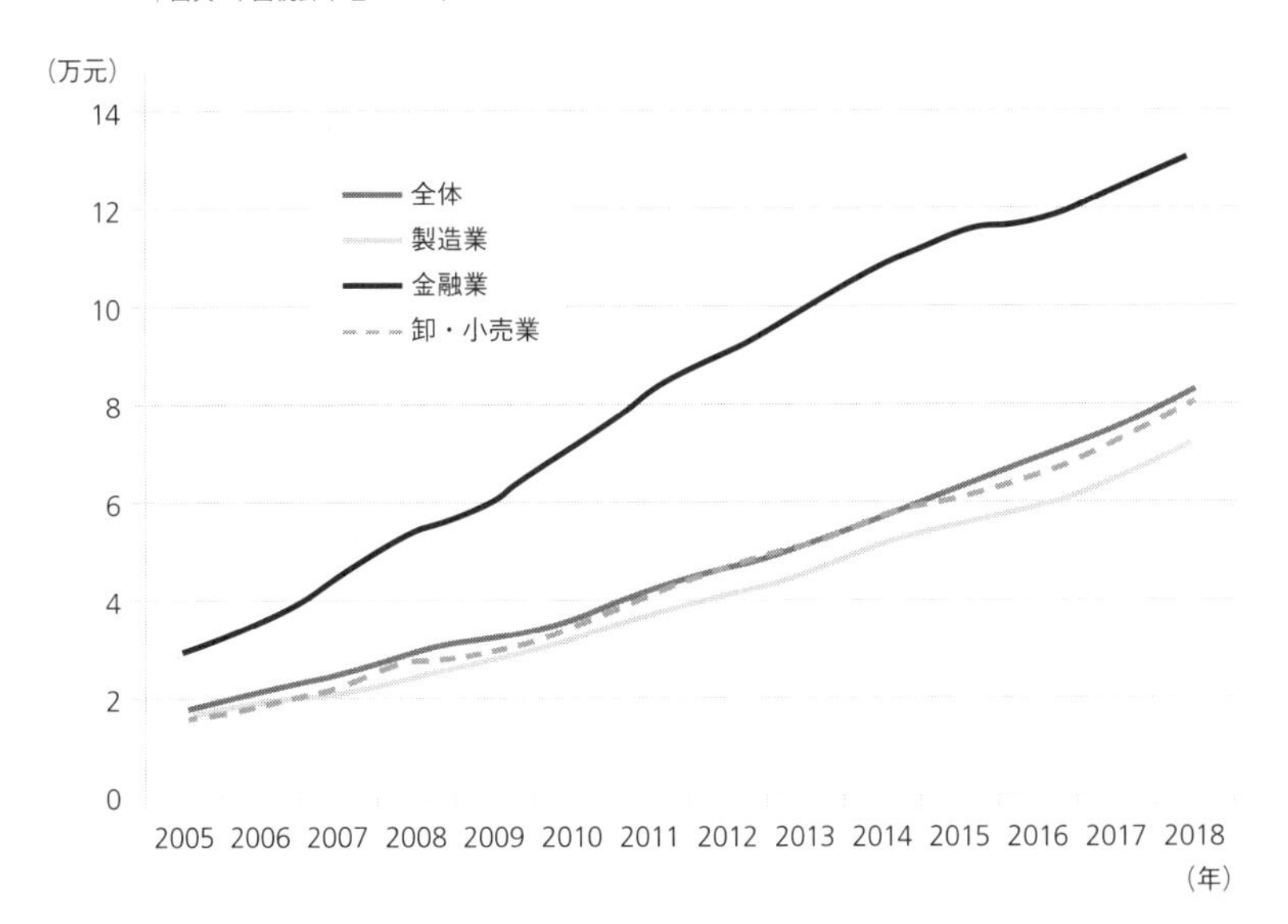

図表⑬—**アジア各国における日系企業の賃金水準**
2010年、2020年比較(製造業/月給)

|出典:JETRO アジア・オセアニア進出日系企業実態調査 2010年度、2020年度

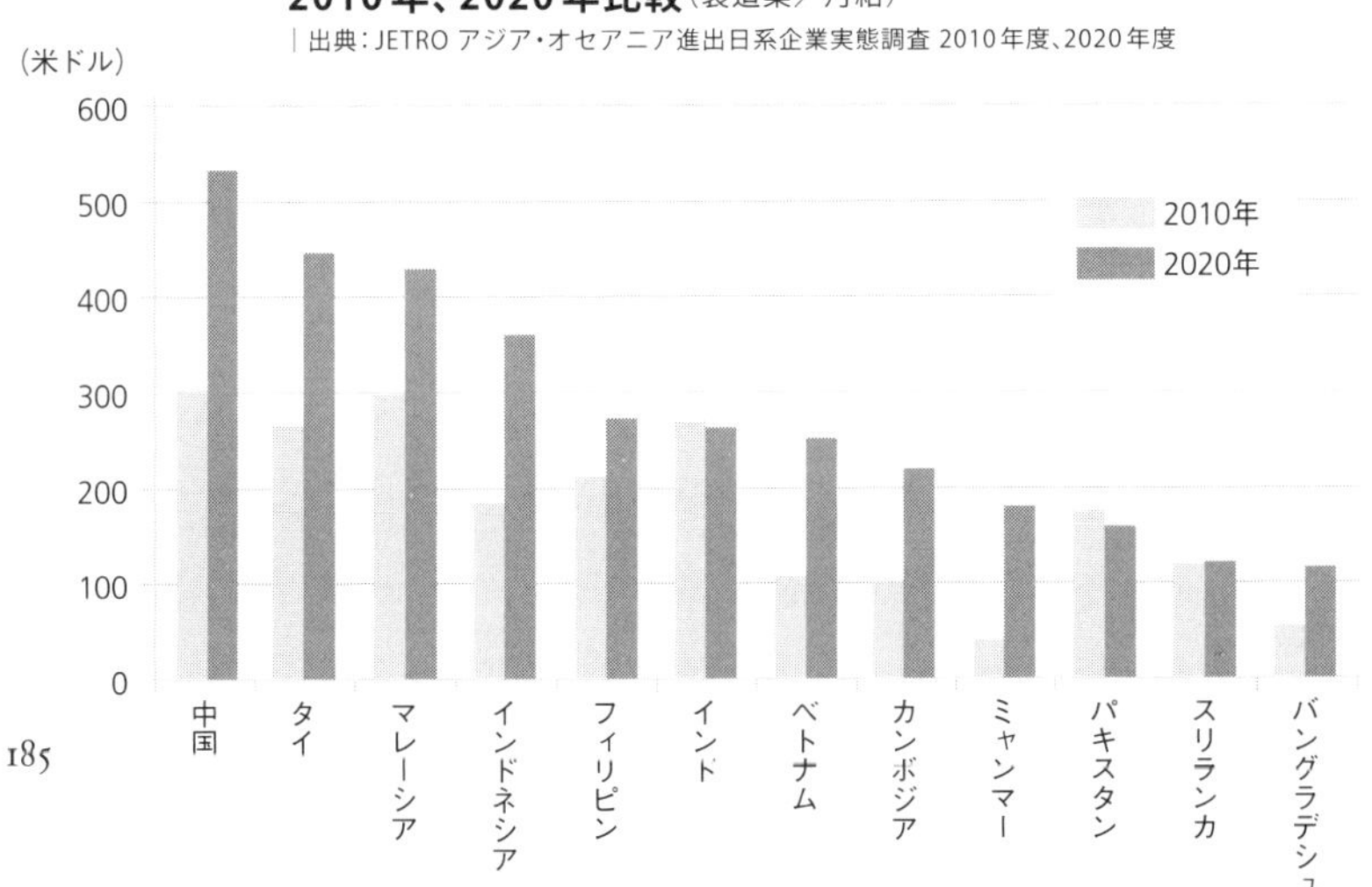

――将来的には、カンボジアやミャンマーでも人件費が上がりますよね。そうやって安い労働力を求めて移っていくのがずっと続けられるのでしょうか？

カンボジアやミャンマーの人件費が上がったら、あとはバングラデシュかスリランカしかない、という感じになってきています。バングラデシュも経済成長しています。そこから先はどうなるのか。中東やアフリカなどの国の中には、まだ人件費の安いところがあります。でも、そういう地域には、ものづくりの伝統がありません。中東は、長い歴史の中で、中継貿易というかたちで発展してきました。シルクロードの中継地だったところが多いのです。中東には工場でものをつくるという伝統がありません。アフリカには、製造業の種もまかれていない状況です。だから、バングラデシュやスリランカまで行ったら、現状では最後になるでしょう。

そうなったら、たとえばファストファッションの製品価格は上がっていくでしょう。でも、考えてみれば、私たちが製品を非常に安く買える裏側には、低賃金で働いている国の人がいる。いわば、彼らの犠牲の上に成り立っているのです。途上国が発展することによって、製品の価格も高くなることを、私たちは正しく理解しなければいけないでしょう。

農村戸籍と都市戸籍があるために大学受験が過熱

――中国の内陸部の都市でも給料が上がったということですが、それでも沿岸部と内陸部ではかなり差があると思います。共産党は何か対策をとっているのですか？

資本主義に格差はつきものです。格差問題をなんとかしないといけないことは、共産党も把握しています。少しでも格差をなくすために、田舎に工場をつくったり、働き場所を用意したりする取り組みは行われています。しかし、都市の富裕層と農村の貧困層の格差が大きすぎて、結果的に対策は遅れているのが現実です。貧困は教育と深くかかわっています。要するに田舎に行くと、高等教育機関である大学がない。これが問題なのです。

中国には、都市戸籍と農村戸籍というのがあって、毛沢東が現在の中国をつくった時に、農民たちが大挙して都市部にやって来ることを危惧して、その時点で都市に住んでいる人には都市戸籍、農村に住んでいる人には農村戸籍を与えて、これを変えることはできないという仕組みをつくりました。

だから、農村戸籍の人は北京や上海に出稼ぎに行くことはできても、都市の戸籍は与えられない。出稼ぎに行った都市で結婚し、子どもが生まれても、子どもをその都市の学校に通わせられない。本来の農村戸籍のある農村に戻れば義務教育を受けられる。そういう状態がずっと続いてきたのです。

それが最近、かなり緩められて、農村戸籍の人が都市の大学に入って卒業すれば、都市戸籍を与えられて都市で就職することができるようになりました。だから、農村戸籍の若者にとって、田舎の貧しい地域から脱出して都市部で生活するためには、都市の大学に入るのがいちばん手っ取り早い方法なわけ。都市の大学に入ることが豊かさを手に入れる第一歩になるのです。

その結果、中国の高校生たちの大学受験競争はとても大変なことになっています。中国の若者たちは猛烈に勉強する。当然、優秀な学生たちも生まれてくるという、そういう構造になっています。

――中国の製品が世界のトップシェアを取っているという話がありましたが、日本国内だと、やっぱり日本製品のほうがいいと思って買っている人が多い気がします。中国はアメリカやドイツ、日本などの先進国に売るのではなく、新しいマーケットの途上国に安く提供して売り上げを伸ばしているイメージがあるのですが、どうなのでしょうか？

アメリカについて言えば、自動車は製造しているけど、鉄鋼業と白物家電は、もうほとんど製造していません。テレビも製造しなくなりました。これらの産業はグローバル化の中で国際競争に負けてしまって、何もないような状態です。だから、日本、韓国、中国の製品が買われて広がっていっています。すっかりなくなってしまった産業にいた失業者たちが、2016年の大統領選挙でトランプに投票したわけだよね。

その点、日本ではまだ家電をつくっているし、日本製品は安全、安心というイメージを持っているから、私たちは高くても日本製品を買っています。それでも、ひとり用に安くていいですよ、と薦められる家電一式セットとかは、中国製のハイアールになっています。

一方で、アフリカのような途上国が多い地域でも、中国製品が売れています。私が5、6年前にアフリカへ行った時には、まだ中国製品は品質が悪いという評価でした。現地の人と、「日本製品はいいけれど高すぎる。中国製品は安いけど、すぐ壊れてしまう。安物買いの銭失いという言葉があるけど、本当にそうですね」というような会話を交わしていました。

でも、今では中国製品の質が上がり、日本製より安くて、それなりにいいという評価に変わってきたのです。つまり、中国製の品質が上がったから、先進国とか途上国とか関係なく受け入れられるようになったのです。

——日本の製品は「高かろう、よかろう」で、中国製品がどんどん「安かろう、よかろう」になると、日本の生産業者はどうなってしまうのですか?

日本製品は品質がいいけれど、価格で中国に分があり、いろんな分野で競り負けている状態になっています。でも、その原因をたどると、日本が中国に技術を渡してしまい、結果的に負けていることもあるのです。

たとえば、新幹線がその例です。中国の新幹線は、日本のＪＲ東日本のはやて型（Ｅ２系車両）なのです。中国が新幹線をつくりたいと言ってきた時に、ＪＲ東日本とＪＲ東海に話がありました。ＪＲ東海は、のぞみ型技術を中国に売ると、そっくりのものをつくられてしまってマイナスになると考えて技術を売りませんでした。しかしＪＲ東日本は、はやて型の技術を中国に渡しました。その結果、中国はＪＲ東日本のはやて型の新幹線を大量につくり（左ページ　写真⑬）、海外にこの新幹線を売り込むことをしたわけだよね。そうやって、中国に技術を売り、結果的に中国に負けるということが、今、たくさん起きています。

厳しいようですが、中国に技術を吸収されてしまって日本製品が売れなくなっている、価格競争ですでに負けつつあるのだ、ということを自覚しておいたほうがいいのだろうと思います。

写真⑬—日本の新幹線「はやて」(上)と中国のはやて型車両「和諧号」(下)
| 写真提供: (上)時事、(下) AFP＝時事

第6章

「デジタル大国」から見る中国

GAFA（ガーファ）とBAT（バット）

中国は日本よりずっとデジタル社会になっています（図表⑭）。この章のテーマは、君たちも非常に気になるところだと思います。みんな、GAFAは知っているよね？

——グーグル（Google）、アップル（Apple）、フェイスブック（Facebook）、アマゾン（Amazon）の頭文字を取った呼び方です。

さすがにスラスラ出ましたね。では、この言葉が『the four』というアメリカで出版された本から生まれた言葉なのを知っていますか？

——知りません。そうなのですか？

日本語訳の本では『the four GAFA 四騎

図表⑭—**中国のインターネット利用者の推移**

出典：第45回中国インターネット発展状況統計報告

中国のインターネットユーザーは2020年に9億人を超えた。携帯端末に限定すれば利用者は8億9690万人で、携帯端末でのインターネット利用者は全体の99.3%を占める。

士が創り変えた世界』（スコット・ギャロウェイ著　渡会圭子訳　東洋経済新報社）というタイトルになっています。新約聖書のヨハネの黙示録の中に、世界に死をもたらす4人の騎士の話が出てきます。GAFAという四つの巨大なIT企業を4人の騎士になぞらえ、彼らがそれまでのアメリカの産業を破壊しつくして覇権を握るのだというイメージで、この本ができた。そうしたら、そのとおりになっているわけでしょう。たとえば、アマゾンのネット販売が何をもたらしたか。アマゾンは最初、本の販売から始めました。

Q アマゾンは最初になぜ本の販売から始めたのでしょう？

――本は腐らないし、扱いが簡単そうだから。

正解ですね。本なら注文しやすいでしょう。中身がネットで見たのと違っていたり、腐っていたりということがない。本は注文したとおりのものが届きます。ネット販売というものにみんなが慣れていない時、信頼を得るために本の販売から始めたのです。それまでの通信販売はカタログが送られてきて印を付ける、あるいは注文票を書いて、郵便かFAXで送ればやがて商品が届くというやり方でした。アマゾンで本を注文すれば、すぐに注文したものが届きます。ここから信頼を得て、次第に扱う商品を広げていったのです。

私は、アマゾンが日本にやって来た時に、こんなネット通販ができたら、街の本屋さんが潰れてしまうのではないかと心配したのですが、そのとおりになりました。本屋さんだけではありません。ありとあらゆる品物をみんなアマゾンで注文するようになったでしょう。

特に、新型コロナの影響で、お店に買い物に行かないでネットで買い物をする人が増え、アマゾンは売上を大幅に伸ばしました。その結果、世界中の小売業が壊滅状態になっているわけだよね。

まさに、アマゾンは世界中の小売業に死をもたらす「死の騎士」になっているわけです。検索エンジンのグーグル、SNSのフェイスブック、マックとアイフォーンのアップルも、それぞれ巨大IT企業で、GAFAの市場独占力が、今、アメリカ国内で問題になっています。

Q GAFAの中国版といわれるBATは中国のIT業界で大きな影響力を持つ3社の頭文字を取った名称です。Bはバイドゥ(百度)、Tはテンセント(騰訊)です。ではAは?

——アリババですか?

そうです。中国の若者たちは、検索ならバイドゥ、買い物ならアリババ、SNSならテンセントを利用していて、圧倒的なシェアを握っています(図表⑮)。

アリババの「ゴマ信用」で格付けされる

バイドゥは中国最大の検索エンジン会社です。中国ではグーグルは使えませんからね。グーグル検索をすると、中国共産党に都合の悪いものまで出てきてしまう可能性があるので、一切使えないのです。中国で近代的なホテルに泊まると、日本よりワイファイ(Wi-Fi)のスピードが速く、検索すると瞬時にいろんなものが出るのですが、たとえば「天安門事件」など共産党に都合の悪いことを検索すると何も出ないわ

図表⑮—中国ITトップ企業、BATとは

	バイドゥ Baidu	アリババ Alibaba	テンセント Tencent
主力事業内容	インターネット検索エンジン	電子商取引(インターネット通販)	SNS(ソーシャルネットワーキングサービス)
ユーザー数	約6億人	約7億8000万人	12億人(微信ウィーチャット)
創業者	李彦宏(ロビン・リー)ほか	馬雲(ジャック・マー)ほか	馬化騰(ポニー・マー)ほか
グループ売上高	約1兆7560億円(2021年発表)	約7兆6456億円(2020年発表)	約7兆7130億円(2021年発表)
ロゴ	Bai du 百度	Alibaba Group 阿里巴巴集团	Tencent 腾讯

け。実は中国にはサイバーポリスという人たちが、今10万人くらいいます。彼らは24時間、常にネットの世界をチェックして、共産党に都合の悪いものは直ちに消してしまう。そういう人たちがいるわけです。

グーグルを認めない代わりに、中国の人たちは何かものごとを検索する時はバイドゥを使います。つまり、バイドゥなら絶対に共産党に都合の悪いことは検索できないような仕組みになっているのですね。

―― 中国の人の中に、グーグルを使ってみたいと思う人はどれくらいいるのでしょうか。

どれくらいの人がグーグルを使ってみたいと思うか、そういうデータがないからわからないね。でも、規制を潜り抜けて、中国国内でグーグルを使うとか、そういうシステムをこっそりつくっている人がいるといわれています。グーグルは、香港に行けば使えるわけだし、アメリカや日本に留学すれば自由に使えるよね。だから、中国人はグーグルのことを知っている。けれども、中国国内にいるかぎり、バイドゥで不便を感じないから、グーグルを使いたいと思う人は極めて少ないだろうと思います。

では、次はアリババの話をしましょう。アリババは、ネット通販で大きな成功を収めた会社です。商品を注文すると、日本の楽天やアマゾンよりも早く品物が届くらしいからすごいですね。毎年11月11日の「独身の日」セールは、中国最大のショッピング祭りになっていて、日本のメディアでも紹介されるようになりましたが、2020年、この日のアリババの取扱高は8兆円近くにのぼりました。新型コロナウイルスの影響で海外旅行に出られない消費者が日本や欧米などの輸入品をまとめ買いしたそうです。コロナ禍で世界経済が落ち込む中、中国のネット通販市場が、世界でいち早く新型コロナからの回復をアピールすることになりました。

アリババの主要事業は通販だけでなく、金融サービスにも及びます。中国はキャッシュレス決済が進んでいて、支払いに使う決済アプリはアリババ系の「アリペイ（Alipay）」とテンセントの「ウィーチャットペイ（WeChat Pay）」の2社で市場の9割を占めています。アリペイには「ゴマ信用（芝麻信用）」という信用スコアが紐づいています。なぜ、ゴマなのかわかるよね？　ヒントはアリペイはアリババが運営していること。

――『アリババと四十人の盗賊』の物語の中で「開けゴマ」と言う場面があるからですね。

そのとおりです。では、「ゴマ信用」はどういうものなのか。これは、個人の信用度を350〜950点の間に数値化したもので、さまざまな要素で点数が決まります。自分のアカウント内に学歴や職業、資産情報、交友関係などを入れます。情報を多く入れれば入れるほど点数は高くなります。また、アリババで買い物をして、きちんと支払いが行われていると点数が上がります。アリババにとってのポイントカードのような性質もあるわけですね。

ゴマ信用の点数が高ければ、たとえば車や自転車のシェアリングサービスを使う際のデポジット（保証金）が不要だったり、海外渡航時にビザを取得しやすくなったりします。一例を挙げると、中国人で700点以上あればシンガポールのビザが取れます。ほかにも自動車ローン利率の優遇などさまざまなサービスを使えるのです。

ここまでの話だと、個人の信用度を点数化ってちょっと怖いし嫌な感じだけど、いろんなサービスを受けられて悪くないかな、と思うかもしれません。はたしてそうでしょうか。中国政府は、ゴマ信用のような「社会信用スコア」の構築を推進しています。それはなぜだか、考えてみましょう。

中国当局のねらいは何か

中国では、現在、ＩＴを使って防犯カメラを中国全土に張りめぐらしています。単なる防犯カメラではなく、顔認識ソフトが入っていて、指名手配犯の特定に役立てられています。この先の技術開発で、もし国民全員の顔が記録されたとしたら、どんなことが起きるだろうか。中国には「檔案」という身上調書のようなものがすべての人にあることを第４

章で話したでしょう（Ｐ１４８）。人物を特定できれば、すぐに檔案と照合することができるよね。さらにこの顔認識ソフトがアリババのゴマ信用のスコアとつながったら、どんなことができるだろうか。

たとえば、非常に極端な話で言えば、赤信号を渡ろうとしたら、監視カメラでチェックされる。そうしたら、ゴマ信用のスコアを10ポイント減らします、といったことはできないだろうか。共産党のやり方に反対する集会に出た場合、スマホの行動履歴でその場所にいたことが確認されれば、ゴマ信用のスコアをこっそり減らすこともできるかもしれないよね。

住宅ローンを借りたいという時にも、信用スコアが低ければ借りられない。あるいは、結婚しようという時に、お互いの家族の信用スコアの数値をチェックし合うなんていうことにもなる可能性がある。当局に逆らうと信用スコアを低くされる、それなら口をつぐんでいようということになるかもしれません。

信用スコアは、個人の幅広い行動を可視化するものです。もしその信用スコアを「国」が管理するようになると、とてつもない管理社会が実現するかもしれないのです。こういったことが実現されるかはわかりませんが、今、中国では共産党がありとあらゆるところまで監視をするために、ＩＴ技術が極めて便利なシステムとして使われるようになっているのです。

音声ＳＮＳの「クラブハウス」が使えない

Ｑ日本ではＬＩＮＥが主流ですが、中国でいちばん使われている対話アプリはなんでしょう？

――ウィーチャット（WeChat）です。

正解ですね。対話アプリの「ウィーチャット」はテンセントが運営していて、同社の主力事業です。「ティックトック（Tik Tok）」は中国のバイトダンスが提供する動画投稿ＳＮＳアプリですが、中国での名称は「ドゥイン（抖音）」です。最近はこのドゥインが伸びてきて、テンセントはウィーチャットからドゥインのリンクに飛ぶことができないようにするなどの対抗策をとっていて、シェア1位の座は揺らぎません。

アメリカのフェイスブックでは政治的な発言もできますが、ウィーチャットでは、政治的な発言は一切できないようになっています。バイドゥだけでなくテンセントも、共産党の監視下で、共産党を怒らせないかぎり、何をやっても自由だというのが、今の中国の現実だということですね。

2021年になってから、アメリカの音声SNSアプリ「クラブハウス（Clubhouse）」というのが人気を集めました。いわゆる音声チャットなのだけど、いろいろなテーマを掲げる「部屋」が並んでいて、いずれかに参加すれば会話している内容を関係のないユーザーも聞くことができて、会話の主催者が許可すれば、その会話に参加することもできる。まるでラジオみたいな自由な会話が広がるイメージです。

このクラブハウスは中国であっという間に使えなくなりました。自由な会話の中で、新疆ウイグル自治区の問題とか、香港の人権問題なんかしゃべられたら大変だというので、クラブハウスが禁じられたわけです。

その後、クラブホース（Clubhorse）という類似サービスがウィーチャットの中のミニプログラムとしてできたのですが、こちらもすぐに「他人の権益を侵害した疑いがある」としてサービス停止となりました。サービスの中身は似て非なるものだったようですが、英語のClubhouseのhouseの「u」を「r」に一字変えてhorseにしただけとは、お粗末だったということでしょうか。

アリババと中国政府の関係に亀裂

――アリババとテンセントに独占禁止法違反で罰金が科されたというニュースを数か月前に見ました。これまでのお話を聞くと、2社は政府と共同というか、当局の言うことに従って事業を大きくしていったのに、なぜ処罰されたのですか？

その話は、今、敢えてしなかったのですが、これまで中国はBATを独占禁止法の対象外としていたんだよね。逆に、アメリカは、GAFAに対して独占禁止法で厳しくやろうということになっています。では、なぜ中国政府が方針を変えたのか。アリババやテンセントにこれまで自由にやらせていたら、共産党の言うことを聞かなくなってきたからだといわれています。特に、アリババの創業者のジャック・マー（馬雲　左ページ　写真⑭）が、中国の金融システムについて、公然と批判をしたんだよね。それを習近平が聞いて激怒したといわれています。それ以来、アリババとテンセントに対して独占禁止法違反という理由で、当局が取り締まりを始めたというのです。

つまり、共産党のことを批判しないかぎり自由にやらせていたのに、共産党の批判をしたから許さないぞ、というチェックが始まったということです。これを厳しくやりすぎると、BATによるIT市場の経済発展が止まってしまうリスクを中国政府は抱えています。それでも、共産党としては経済的なマイナスがあっても、共産党の批判を絶対に許さないという方針を貫いているのです。それを取り締まる理屈として、独占禁止法を持ち出したのだということです。

――今までのお話を聞いていると、中国っていうのは、個人とか個人のプライバシーの尊重とかを二の次にしていて、純粋な技術の最大利用を行っているように思います。中国では今、すごい技術の開発が行われていると思うのですが、技術開発のためだったら、国民個人のプライバシーは二の次にした試験場みたいなことをやっているのは、中国以外であるのかなっていうのが気にな

写真⑭—アリババの創業者ジャック・マー｜写真提供：AFP＝時事

ります。

それでいえば、北朝鮮がそうです。北朝鮮はスマホがかなり普及しています。スマホでの会話はすべて盗聴されています。実は、北朝鮮は自分たちでその技術を開発できなかったので、昔から親密な関係があったエジプトに委託して、エジプトの電話事業会社に北朝鮮の携帯電話のシステムをつくらせ、同時に盗聴システムを導入したというわけです。

ＩＴの技術を利用する一方で、原始的な監視体制もあります。北朝鮮はお金がないでしょう。だから人海戦術でやっています。私はこれまで2度北朝鮮に行きました。特に平壌(ピョンヤン)の中だと、一般の人は二十何階建ての高層アパートに暮らしているわけですね。どのアパートの入口にも人のよさそうなおばちゃんがひとりずつ立っていました。そこの住民の顔は全部覚えています。見知らぬ人が来たら監視して、何かあやしいと思えばすぐに当局に通報できるようにしているのです。

また、北朝鮮では「五人組」といって、5世帯ごとに相互監視体制がとられています。これは、日本が朝鮮半島を統治していた時に使っていた密告制度の名残です。5世帯がひとつのグループになって、お互いを監視する。誰かが政府のやり方に反対していることがわかると、ただちに密告しなければならないという仕組みです。今は3世帯ごとの監視体制になったといわれます。こうした監視システムがあるので、わざわざ顔認識ソフトなど使わなくても、監視体制が成立しているのです。

さらに言えば、アフリカにある独裁国家にしてみると、中国のＩＴ技術がものすごく魅力的なわけ。国民を監視するにはぴったりというわけです。アフリカの独裁国家の中には、中国の監視システムをそのまま導入しようとしているところが結構あります。

だから中国は、国内でなく、アフリカの独裁国家でさまざまな技術を実験的に使ってみることをおそらく計画し、あるいは実施しているかもしれません。そういう現実があるということです。

イギリスの作家ジョージ・オーウェルの名作で『１９８４』というＳＦ小説があります。これは１９４８年に執筆された作品で、４と８をひっくり返して１９８４なのですが、遠い未来のディストピア社会を描いています。ディストピアはユートピアの反対語です。１９８４年には、ビッグブラザーという監視システムがあって、あらゆる言論がすべて監視されているディストピア社会になっている。そんな社会は小説の中の架空のものだと思っていたら、現在の中国で実現したわけだよね。ＩＴによる監視システムが見事に完成してしまったのです。

ビッグデータの使い方で何が問題か

BATが発展した大きな理由は、ビッグデータを集めることができるからです。何しろ、中国には14億人という膨大な人口がいます。では、ここで質問をひとつ。

Qビッグデータと呼べるデータ量はどのくらいでしょう?

――**想像できません。**

実はビッグデータと呼べるデータ量に明確な基準はありません。一般的には万や億の単位を想像するかもしれませんが、たとえば個人で商売をしていて、百の単位の顧客情報から、こうすれば売れるというアイデアを導き出せれば、その人にとってビッグデータといえるわけです。総務省が作成した「情報通信白書」では、ビッグデータを「事業に役立つ知見を導出(どうしゅつ)するためのデータ」と定義しています。でも、中国のように政府が国民一人ひとりを監視するために利用することもできるわけだよね。

ここまで、BATや中国政府に着目してきましたが、日本でビッグデータの利用が問題になった例を見てみましょう。

だいぶ前になりますが、ＪＲ東日本が、交通系ＩＣカードの「スイカ（Suica）」の乗車履歴を販売して問題になったことがあります。たとえば、君たちが学校から最寄りの田町駅でスイカを使って乗車する。品川駅で降りたあと、駅前のコンビニで買い物をしてスイカで支払う。そうすると、この時間に田町駅から乗って品川駅で降りた人がここで買い物をするというデータになる。それが膨大に溜まっていくとビッグデータになるわけです。行動履歴が新たなビジネスチャンスにつながるので、ＪＲ東日本が民間会社に販売したところ、報道で知った利用者から「勝手に売るな」「気持ち悪い」といった批判を浴びて、その後、データ販売は中止されました。

この時、ＪＲ東日本がそこまで批判を受けたのは、個人のプライバシーへの配慮が足りなかったからです。ＪＲ東日本は利用者に事前説明をしていませんでした。利用規約にはスイカ履歴の販売・譲渡について書かれていなかったし、文書などによる利用者への告知もなかったのです。また、本人の申し立てで履歴の販売・譲渡を止められるオプトアウトの窓口を告知していなかった点も問題視されました。

ＪＲ東日本は、乗車履歴のビッグデータを他社に売ることができませんでしたが、自らはビッグデータを大いに利用しています。たとえば、エキナカというかたちで、お店がどんどんできているでしょう。田町駅で乗って品川駅で降りて、外で買い物をしていることがスイカのデータでわかれば、品川駅で降りた人はこういう買い物をするんだ、じゃあ、そのお店を品川駅の中につくってしまおう、となるわけです。

もうひとつ、別の観点で問題になった事例があります。２０１９年、コンビニやドラッグストアで幅広く使えるポイントカードの「Ｔカード」を警察が捜査に使っていたことが明らかになりました。警察が指名手配犯の行方を追っていた時、犯人がＴカードを持っているに違いないと気づき、Ｔカードを運営する会社に情報提供を依頼。警察はＴカードが使われた個人情報をもとに、犯人の居場所を特定して捕まえることができたのです。

カード会社は裁判所が出す令状がなくても、捜査当局が内部の手続きで出す「捜査関係事項照会書」があれば、必要な範囲で任意提供に応じています。そのことは会員規約に記載しないといけませんが、この時はまだ記載されていなかったので問題になったのです。ポイントカードの会員規約を全部しっかり読んで理解している人は少ないでしょう。日本国内でも、警察の捜査にカードの個人情報が使われることがあるのです。

それを大規模にやっているのが中国なのだ、ということですね。警察ばかりでなく、企業も個人の人権に関係なくビッグデータを自由に使えば、ビジネスチャンスが広がって、さらに中国のＩＴ企業が拡大していくというわけです。

ライブコマースがコロナ禍で急成長

最近、中国ですごいなと思ったのは「ライブコマース」ですね。ライブコマースというのは、インターネットで生中継しながら商品を売っていくネットのお店のことです。要するに、中国の企業や個人が自分でスマホをセッティングして、スマホでネット中継をするわけね。スマホに向かって「こんな商品があるんです、こんなにいいところがあります」と弁舌巧みに大宣伝をするわけ。テレビショッピングの個人版をインターネットで行っているみたいなことです（写真⑮）。

写真⑮—インターネットライブ販売「ライブコマース」の様子。スマホ画面（手前）には随時消費者からの質問やコメントが表示されている｜写真提供：新華社／共同通信イメージズ

スマホなので、視聴者はコメントを使って、ライブで売り主に質問できるし、ワンタップで商品を購入して決済も同時にすんでしまいます。ライブ配信＋ネット通販で、テレビショッピングより利便性が高く、イベントに参加しているような気分になります。

ライブコマースは、ネット通販サイト「タオバオ（淘宝）」や「ジンドン（京東）」が、2016年からサービスを開始したのがきっかけで、急成長しています。その背景には新型コロナウイルスの影響がありました。感染拡大で、街中の商店は休業せざるを得なくなりました。それで、商店主たちがライブコマースに注目をして、閉店している店内でスマホを使って店舗の商品を売ったのです。2019年には約7兆円だった流通総額が、2020年には約15兆円と2倍以上に増えました。

ライブコマースでは、個人や店舗が自らライブ配信して売るのが基本で、全体の9割を占めますが、1割は消費者に影響力の強いインフルエンサーが、企業から依頼されて商品を売っているのです。日本の通販番組でも売るのが上手なMCがいるでしょう。中国にもライブコマースで高い売上を誇るスターがいます。最も売上額が高いウェイヤー（薇娅）という女性は、あの「独身の日」セールで400億円以上の商品を売って、1日で得た販売手数料が約60億円だそうです。

もうひとりインフルエンサーとして人気なのがオースティン（李佳琦）という男性美容

家です。1回のライブコマースで3億円分以上の化粧品を売り上げるといわれています。自ら口紅をつけて、その使用感などを巧みな言葉で表現することから「口紅王子」というニックネームで呼ばれています。もともと世界最大の化粧品会社ロレアルで美容販売員をしていましたが、当時の給料は月に10万円を切るくらいでした。それがほんの数年の間にライブコマースで人気者となり、現在の年収は約30億円といわれています。まさに、デジタル大国中国の「チャイナドリーム」だよね。

中国の若者たちで、このふたりを知らない人はいないらしい。それくらい有名人だそうです。ちなみに、2019年のライブコマースの全売上の2割をこのふたりで占めています。

中国では、次々に自由な発想で新しいことが始まっています。それができるのはなぜなのか。中国の場合、まずなんでも勝手にやってみて、問題が起きると修正する。監督する法律があとからできてくるのです。新しいことを始める時になんの規制もない。なんでもやってしまったほうが勝ち、あとで規制ができるまでに儲けたほうが勝ち。これもまた中国らしいやり方なのです。

日本の場合は、いろんな規制官庁があって、新しいことを始めようとすると、これは法律に違反しないだろうか、どうだろうかと確認しないと起業できないようになっています。

そして、何か問題が起きるたびにいろいろ規制が厳しくなる。ここが、中国と日本の大きな違いなのかなと思うのです。

顔認証で鍵がないアリババホテル

Q 杭州市（浙江省）にあるアリババ本社の隣に「アリババホテル」と呼ばれている最新テクノロジーを駆使したホテル（FlyZoo Hotel）があるのを誰か知っていますか？

――ほとんど無人のホテルですよね。テレビか何かで見たことがあります。

そうですか。顔認証システムが行き届いていて、部屋の鍵がない。なんでもカメラに顔をかざして行う未来型のホテルなのです。ホテルの入口を入ると、タッチパネル式のマシンが並んでいます。まず、そこで専用アプリをダウンロードしてロビーに設置された端末やスマホで自分の顔を撮影します。専用アプリは決済アプリであるアリペイに連動しているので、チェックインはそれで完了。ルームキーはありません。エレベーターに乗ってカメラに顔を向けると、行き先階のボタンを押せるようになります。降りて部屋の前に立つと、「お入りください」という音声とともにガチャッとドアが開く。ＳＦ映画に迷い込んだみたいですね。ドアに埋め込まれた小型カメラで顔認証するわけです。

室内には、「Tモールジニー」というアリババが開発したAIスピーカーが設置されていて、質問するとなんでも答えてくれます。

ノンフィクションライター西谷格（にしたにただす）さんの『ルポ デジタルチャイナ体験記』（PHPビジネス新書）を読むと、Tモールジニーとの会話が書かれています。最初のうちは「チェックアウトは何時？」「正午12時です」、「ドライヤーはどこにあるの？」「洗面所の引き出しの中にあります」といったよくある質問と答えが続きます。Tモールジニーはアニメの女の子のような明るい声ではきはきと答えます。

そこで、あえて答えにくそうなことを質問したそうです。「釣魚島（ちょうぎょとう）（尖閣諸島の中国側の呼称）はどこの国にありますか？」。すると、Tモールジニーの声質が突如変化し、野太い声で明るく「釣魚島は古来より中国の領土です！」と言いきったそうです。そこまでちゃんとAIにインプットされていたとは驚きですね。もっとも、会話はすべて中国語です。日本語では会話できません。これから外国語にも対応できるようにするのが課題です。

ルームサービスを頼むと〝もの運びロボット〟が運んできたり、バーに入ると自動車工場にありそうなロボットアームがカウンターの中でカクテルをつくっていたり。まさに未来型のホテルですね。

しかし、帰り際にフロントの裏側の奥まった部屋の中をちらっと見たら、巨大スクリーンに防犯カメラ映像が１００画面近く映し出されていたそうです。防犯のためとはいえ、宿泊客についてのさまざまな情報を監視カメラから得ているのです。中国ではまだ一部ですが、デジタル技術によるそんなホテルが出現しているのです。

――**顔認証ソフトは、整形手術をしても機能するのでしょうか？**

顔認証の基本は目だといわれています。だから、コロナウイルス感染防止でマスクをしていても、顔認証ソフトでは結構わかるようになっているようです。

――**中国のデジタル技術はすごいなぁと思う反面、どこまで進むの？　とちょっと不安な気持ちにもなります。**

なんて便利なのだろうと思うけれど、恐ろしいなとも思う。さあ、未来はどうあるべきなのか、ということを君たち一人ひとりが考えてほしいし、まさに君たちがＩＴ社会をこれからつくっていくわけです。ＩＴを自分たちの生活に活かしていくうえで、何が快適なのか、何が大切なのかということを、自分たちが考えてつくっていくのだと肝に銘じてほしいと思います。

日本のデジタル化はどの程度進むのか

――中国は、人口が多くてITが発達していますが、インドも似ている国だと思います。インドは中国と同じような方針で発展するのか、それとも別の独自の方針で発展するのか教えてください。

わかりました。インドの人たちは「インドは世界最大の民主主義国だ」とよく言います。民主主義国家だから、ものごとがなかなか進まないのです。どういうことか。

中国の場合、日本の技術を使った高速鉄道網や新幹線網が一気にわーっと敷かれていくでしょう。それは土地がすべて国有地だから、そこに住んでいる人たちを強制的にいくらでも立ち退かせることができるわけだよね。

インドで新たに鉄道をつくろうとしたら、土地は全部私有地だから、一軒一軒、買収交渉をしなければならない。立ち退き反対という人たちが出たら、強制的には排除できません。結果的に、いろんなことが進まないわけ。何をやるにしても、選挙でやろうということになっていますから、中国みたいにはいかないという現実があります。要するに、独裁国家のほうが経済開発の点では有利なのです。しかし、それが本当に国民のためになるかどうかは別問題。
　インドの人たちは自分たちの考え方でリーダーを選ぶことができる。長い目で見れば、インドは発展するだろうけれど、短期的に見ると、中国のような発展はできないということです。

――日本では、中国のように国民を監視することにＩＴ技術を使えないと思います。民主主義ではデジタル化に限界があるような気がするのですが、日本ではどの程度までデジタル化が進むと思いますか？

　それなら、第２章で取り上げた台湾の例が参考になるでしょう。台湾は民主主義を大切にしながら、コロナ第１波の封じ込めに成功しました。オードリー・タンは、「中国では政府が国民を監視するためにインターネットが使われている。台湾においては、人々が政府を監視するためにインターネットが使われなければならない」と言っていると紹介したでしょう。ＩＴ技術は民主主義を強化するために使うことができるというのがオードリー・タンの主張なのです。
　日本の具体的なデジタル化でいうと、キャッシュレス決済は進んでいくでしょう。これまで日本は世界と比べて普及率が低く、政府がマイナポイントなどの支援事業を行ってきましたが、新型コロナウイルスの流行が思わぬ追い風になりました。感染防止のためにキャッシュレス決済する人が増えています。この2、3年「○○ペイ」というスマホ決済サービスが急激に増えたこともあるでしょう。

そもそも、日本でキャッシュレス化が進まなかったのは、まず治安がいいので、現金を持ち歩くのに不安がないことが挙げられます。それと、日本のお札が精巧にできていて、偽札がほとんどないでしょう。だからお札に対する信用度が高い。ものすごく汚いお札って見ないでしょう。実は世の中のお札は知らない間に新しいお札に代わっています。お札の平均寿命は、使用頻度が高く傷みやすい1000円札、5000円札で1、2年程度、1万円札で4、5年程度だそうです。

反対に、中国は偽札による被害が多いため、スマホ決済が促進されたのです。以前、中国へ行った時、100元札で買い物をすると、お店の人が私の目の前でお札を電灯にかざして偽札でないかどうかチェックしました。そんなことが当たり前に行われていたのです。キャッシュレスになれば、その心配はなくなります。結果的に、中国ではキャッシュレス化が早く進んだ。日本はなまじ、お札がきれいで精巧にできているからキャッシュレス化が遅れてしまったという皮肉な状態になっていました。でも、これからキャッシュレス化は進んでいくでしょう。

マイナンバーカードも広がっていくと思います。2020年のコロナ禍で10万円の特別定額給付金の支給は、あんなに遅れてしまったわけですが、マイナンバーカードが普及していれば、もっと早く支給できたはずです。マイナンバーカードが健康保険証としても、自動車運転免許証としても使えるなど、マイナンバーカード1枚でいろんなことができるようになっていくでしょう。

国民一人ひとりに番号が割り振られる国民総背番号制は、世界の先進国で行われています。日本も国民一人ひとりがマイナンバーを持っていますが、マイナンバーカードの交付率は、今30％くらいです（2021年5月現在）。

なぜ広がらないかというと、メリットがないと思われていることが大きい。現時点でいえば、コンビニで行政上の各種証明書を取得できることくらいしかメリットがないと思っている人が多いでしょう。そこで政府はマイナポイント付与というサービスを行いました。期限付きでマイナンバーカードの予約・申し込みを行って、キャッシュレスサービスでチャージや買い物をすると5000円分を上限として25％のポイントがもらえるというものです。これを行ったらマイナンバーカードの申請が増加しました。このあと、どこまで広がるかが課題ですね。

広がらない別の理由としては、マイナンバーカードに記載された個人情報が漏洩するのではないか、今の日本の政府が信用できないのでつくらない、ということもあります。ヨーロッパの国々でなぜそれが広がっているかというと、メリットがはっきりしていることに加えて、政府を信用していることも大きいと思います。民主主義社会では、なかなかものごとが進まないのですが、それと同時に、政府が国民から信頼されているかどうかによって、デジタル化が進むか進まないかも決まるのです。

つまり、中国は独裁的に強制的にデジタル化を進める。民主国家はみんなが納得をして進めるから、当然時間がかかる。だけど、デジタルのほうが便利だよということになれば、これから少しずつ日本もデジタル化が進む。それがさらに進むかどうかは、政府が信用されているかどうかにかかっているのです。

習近平国家主席は焦っている

――アリババホテルの話でAIスピーカーが出てきましたが、中国に限らず、AIによって失業者が増えてしまう問題があると思うのですが、中国はどのような対策を講じているのですか?

私は、授業を通してずっと中国には14億人いると繰り返し言ってきましたが、中国はこれから急激な人口減少を迎えるのです。それは「ひとりっ子政策」というのを行ったひずみなのですが、今、少子高齢化がすごく進んでいます。

Q 中国は、なぜ「ひとりっ子政策」を行ったと思いますか？

――理由はわかりませんが、中国の人口がすごく増えていたから。

そうです。なぜかというと、毛沢東が人口の増加を奨励したからです。専門家がこのまま人口が増え続けたら中国は食料不足になると進言しました。それでも毛沢東は人口の増加を奨励し続けました。なぜだと思いますか？

――やっぱり数は力と思ったからですか。

まぁ、そういうことなのですが、当時は中国とソ連が対立していて核戦争が起きる可能性もあったのです。その頃の中国の人口は8億人でしたが、毛沢東は「たとえソ連との戦争で5億人死んでも、まだ3億人残るから中国は大丈夫だ」と言ったのです。とんでもない理屈ですが、毛沢東の時代に人口が爆発的に増えたのです。

毛沢東の死後、中国では人口増加を止めなければならないと、1979年から、「ひとりっ子政策」を導入しました。この政策は2015年に廃止されて、「ふたりまでの出産を認める」ということになるまで30年以上続いたのです。その結果、2015年をピークに中国の労働力人口（15～64歳の就業者と失業者の合計）は急激に下降しています（左ペー

ジ　図表⑯）。

そこで2021年5月、「子どもは3人まで認める」ことになりましたが、効果があるかわかりません。今、65歳以上の高齢者人口が、中国では約1億9000万人います。日本の人口より多いのです。今後も毛沢東が出産を奨励した時代に生まれた世代が続々と高齢者になっていきます。

中国は最近になって急激に経済が成長したため、年金制度が十分にできていません。「改革開放政策」以前の中国では、企業はすべて国営でした。退職後は国営企業が年金を払ってくれました。国としての年金制度をつくる必要がなかったのです。

農村地帯では家族みんなで暮らしていますから、年をとったら子どもに養ってもら

図表⑯ ― **中国人口ピラミッド** | 出典：国連 World Population Prospects 2019

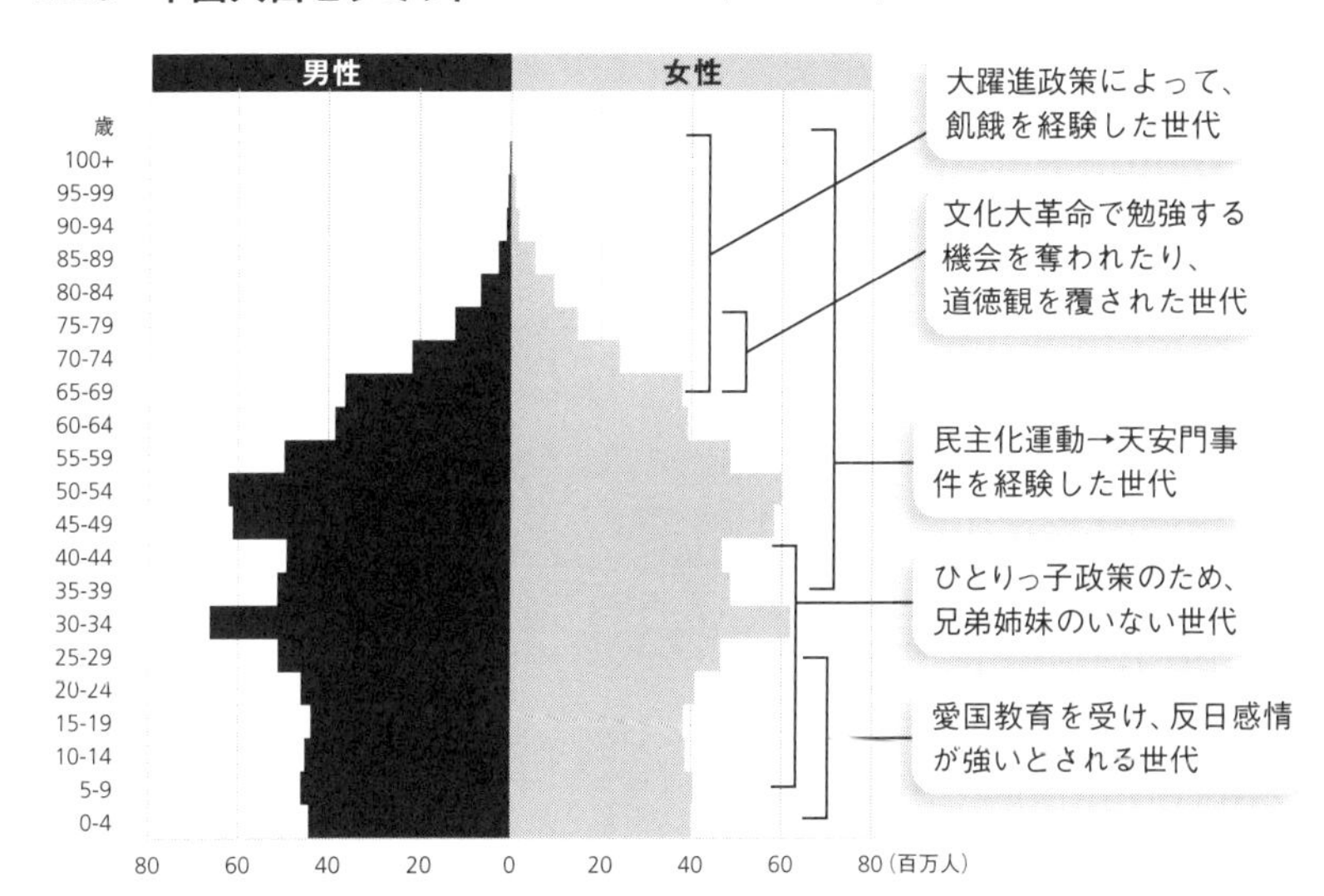

うのが普通でした。老後に年金をもらって生活するという考え方自体ありません。ところが、最近では都市部に働きに出る子どもたちが増えてきた。老いた両親の面倒を見ることができる子どもが少なくなってきたのです。

現在では、任意加入ですが農村地帯にも年金制度ができました。しかし、加入する人は少なく、このままだと農民たちの老後を誰が支えるのか、大きな問題が横たわっています。

少子高齢化は、先進国で起きる現象でした。先進国になると出生率が下がってきます。医療が発達して平均寿命が長くなり、少子高齢化が進みます。少数の労働力で大勢の高齢者の面倒を見なくてはいけません。年金制度など社会保障制度が整っている先進国でも、日本のように少子高齢化対策に四苦八苦している国もあります。

ところが中国では、社会保障のシステムが整備される前に少子高齢化に突入してしまいました。急激な少子高齢化を迎え、労働力人口の減少がすでに始まっています。これから労働力不足が深刻な問題になってきます。

だからこそ、中国はＡＩを一生懸命進めようとしているのです。ＡＩを進めると失業者が増えるのではないかとよく言われるのですが、中国では反対で、労働者が減ってしまうからＡＩでカバーしなければならないのです。

さらに言えば、中国は今、ものすごい勢いで発展していますが、いずれ大変な老人社会になるわけです。そうなった時に中国が発展できるかどうか考えると、おそらく習近平国家主席は大変な焦りを感じていると思います。その時までに、中国をどこまで先進国にしておくかという焦りが、デジタル技術の推進やさまざまな政策に、にじみ出ているのだと思います。

最後にもうひとつ、大切なことを伝えたいと思います。尖閣諸島とかの問題になると、私たちはつい「中国人は～」という言い方をしてしまいます。「中国人は」という言い方は危険な言い方なのです。

台湾でも中国でも漢民族が多いですよね。民族や言葉が共通していても、中華人民共和国と台湾の体制は、まったく好対照です。中国は強権的で独裁的なやり方をしています。台湾は民主的な開かれた政府になっているわけです。

ある特定の民族のことを中国人はとか、日本人はとか、ひとくくりにしてステレオタイプな枠に入れてしまう。そういう考え方がいちばん危険なのだということです。要するに体制によってこんなにも違ってくるのだということ、それをとにかく冷静に見てほしいなと思うのです。

たとえば、シンガポールにしたって、マレーシアにしたって、中国系の人たちがいっぱいいるわけだよね。その人たちも「中国人は」と一緒にできるかというとまったく違うわけです。文化が違う、育ち方が違う、さらには国家の体制が異なることによって違いが出てくるのだということです。それをぜひ忘れないで、中国の人も、ほかの国の人も見ていってほしいなと思います。

――（生徒代表）２日間の特別授業を本当にありがとうございました。とても貴重な経験になりました。歴史の授業で中国、台湾、香港、中国共産党などが出てきても、こんなに詳しく、面白く知るということは今までなかったような気がします。これまで知ることができなかったことをたくさん知ることができました。ありがとうございました。（拍手）

ロシア連邦
黒竜江省
ハルビン
長春
吉林省
内モンゴル自治区
瀋陽
遼寧省
北朝鮮
フフホト
北京市
天津市
日本
太原
河北省
大韓民国
石家荘
済南
山西省
山東省
西安
鄭州
江蘇省
陝西省
河南省
合肥
南京
上海市
湖北省
安徽省
武漢
杭州
台湾
長沙
南昌
浙江省
福州
馬祖島
湖南省
江西省
福州
福建省
台北
福建省
台北
厦門
台湾
台中
広西チワン族自治区
広東省
金門島
広州
台湾
マカオ
香港
南寧
高雄
海口
海南省
フィリピン
0
200km

巻末資料―中華人民共和国地図

中国略年表
（本書に関連した項目をもとに、中国の出来事を中心に作成）

1840 清とイギリスがアヘン戦争（～1842）。
1842 南京条約調印。香港島がイギリス領となる。
1856 清と英仏連合軍、アロー戦争（～1860）。
1858 清、英仏間で天津条約、ロシアとアイグン条約を結ぶ。
1860 清、イギリスと北京条約調印。九龍半島の南部がイギリス領となる。
1884 清仏戦争（～1885）。
1887 マカオがポルトガル領に。
1894 日清戦争（～1895）。
1895 下関条約により清は日本に台湾を割譲。日本軍、台湾上陸。台湾で台湾民主国が成立するも、日本軍に制圧される。各地で抗日運動始まる。
1900 義和団事変で8か国連合軍が北京を占領（～1901）。
1911 辛亥革命起こる。
1912 1月、中華民国成立。孫文が臨時総統に就任。2月、宣統帝（溥儀）の退位により清朝が滅亡。3月、袁世凱が中華民国の臨時総統に。
1913 ダライ・ラマ13世、チベット独立宣言。
1914 孫文が亡命先の日本で中華革命党を結成。
1915 日本、中国に対華21か条要求を突きつける。
1919 ヴェルサイユ条約に対する抗議運動が起こる（五・四運動）。中華革命党を中国国民党と改称。

1921 中国共産党結成。
1924 中国国民党と中国共産党が連携関係に。第一次国共合作。
1925 孫文死去（1866～）。
1927 4月、南京で中国国民党による中華民国政府が樹立。7月、蒋介石の弾圧を受け、中国国民党から共産党員が脱退。8月、南昌で共産党が武装蜂起。中国労農紅軍（紅軍）結成。
1928 蒋介石が中華民国政府主席に就任。
1931 満州事変。日本軍が中国東北部に侵攻。中国共産党が江西省瑞金に中華ソビエト共和国政府を樹立。
1932 日本が、中国東北部に満州国を設立。溥儀を執政に。
1933 新疆省（現在の新疆ウイグル自治区）西部で、イスラム教徒による独立政府成立（第一次東トルキスタン共和国 ～1934）。
1934 毛沢東率いる紅軍の長征（戦略的大移動）始まる（～1936）。
1936 国民党軍の張学良が蒋介石を拘束し、抗日への政策転換を認めさせる（西安事件）。
1937 盧溝橋事件を機に日中戦争勃発。第二次国共合作。日本軍が南京を占領。中華民国は首都を重慶に移す。
1939 第二次世界大戦勃発。
1941 日本がハワイ・真珠湾と香港などを攻撃。太平洋戦争始まる（～1945）。香港島のイギリス軍が降伏。日本が占領。

1943 毛沢東が中国共産党中央政治局主席兼中央書記処主席に就任。
1944 新疆省北部で、ソ連の協力のもとに第二次東トルキスタン共和国が成立(～1946)。
1945 日本軍の降伏により第二次世界大戦終結。再び香港がイギリス領に。中華民国が台湾と澎湖列島を編入。国民党員の台湾への流入始まる。国際連合が発足。
1946 中華民国が国連安全保障理事会の常任理事国に。第二次国共合作が崩壊。国民党軍と共産党軍が内戦に突入。
1947 中華民国憲法施行。
1949 1月、共産党軍が国民党軍との内戦に勝利。7月、毛沢東「向ソ一辺倒」宣言。10月、中華人民共和国の成立。ソ連が中華人民共和国を承認。12月、国民党(中華民国政府)が台北を臨時首都と定め、全面的に台湾へ移入。
1950 1月、イギリスが中華人民共和国を承認。2月、中ソ友好同盟相互援助条約締結。6月、朝鮮戦争勃発。人民解放軍が義勇軍として北朝鮮を支援。10月、人民解放軍、チベットへ進軍。11月、チベットが国連に中国の侵略を訴える。
1951 5月、チベットの平和解放に関する「一七条協定」締結。12月、人民解放軍2万人がチベットのラサに配備される。
1952 中華民国と日本が日華平和条約を締結。
1953 中国で初めての国勢調査が行われる。人口約6億人。
1954 9月、最初の中華人民共和国憲法制定。第1回全国人民代表大会開催。12月、米華相互防衛条約締結。台湾の安全をアメリカが保障。第一次台湾海峡危機。
1957 2月、毛沢東が共産党外からの批判を歓迎する「百花斉放」を発表。6月、毛沢東が一転して、反共産分子を弾圧する「反右派闘争」に乗り出す。
1958 毛沢東の「大躍進政策」始まる。第二次台湾海峡危機(金門島での砲撃戦)。
1959 3月、人民解放軍により8万7000人のチベット人が殺害される。ダライ・ラマ14世がインドへ亡命。4月、毛沢東が国家主席を退任し、劉少奇が就任。6月、中ソ関係が悪化。8月、中国軍がインドに侵攻(中印戦争へ)。
1962 蒋介石、大陸反攻への「国光計画」に着手。
1964 『毛沢東語録』発行。中国が初の原子爆弾実験に成功。
1965 「チベット自治区」を設置。
1966 「文化大革命」始まる。北京市公安局が紅衛兵の暴力を容認する方針決定。
1968 毛沢東の「下放」発言により、紅衛兵たちが地方の農村へと送られる。
1969 中ソ国境で大規模な軍事衝突。ソ連は核使用の準備があると発言。劉少奇死去(1898～)。
1971 国連総会で中国の代表は中華人民共和国と変更される。台湾(中華民国)が国連を脱退。
1972 2月、アメリカのニクソン大統領が訪中。3月、中国、イギリス間で正式に国交樹立。8月、香港島と九龍半島を結ぶ海底トンネルが開通。9月、日本の田中角栄首相訪中。日本と中華人民共和国が国交正常化。
1975 蒋介石死去(1887～)。米軍が台湾から完全撤退。
1976 1月、周恩来死去(1898～)。4月、周恩来追悼のため天安門広場に集まった群衆が、当局により排除される、第一次天安門事件。9月、毛沢東死去（1893〜）。10月、江青ら四人組が逮捕される。

1978 8月、日中平和友好条約締結。10月、鄧小平、日本訪問。12月、鄧小平、中国共産党中央委員会総会で「改革開放政策」を発表。

1979 1月、中国とアメリカが国交を樹立。鄧小平がアメリカを訪問。「ひとりっ子政策」が導入される。

台湾とアメリカの軍事政策「台湾関係法」が制定される。

1981 中国が「一国二制度」を提唱、台湾との統一を呼びかける。

1982 共産党トップの名称が「主席」から「総書記」に変更される。第3回国勢調査。人口が10億人を超える。イギリスのサッチャー首相が訪中。香港返還交渉が始まる。

1984 北京で香港返還に関する中英共同声明に調印。

1985 人民公社の解体が完了。

1987 台湾で38年続いた戒厳令が解除される。

1988 蔣経国死去（1910〜）。台湾総統に李登輝が就任。初めて本省人の総統が誕生。

1989 4月、胡耀邦の死去（1915〜）で、学生たちによる追悼デモ。民主化運動が広まる。5月15日、ソ連のゴルバチョフ書記長が中国を訪問。同20日、中国政府が北京市の一部に戒厳令を発令。6月4日、人民解放軍が天安門広場に突入。第二次天安門事件。

1991 台湾、中国共産党との内戦状態終結宣言。双方とも交渉窓口として「海峡交流基金」を設立。

ソ連共産党解体。ソ連崩壊。

1992 全国人民代表大会で尖閣諸島周辺を中国の領海と宣言。共産党大会で「社会主義市場経済体制の確立」を決定。

中国、台湾間で、ひとつの中国を堅持しつつもその意味の解釈は各自異なることを認める「九二共通認識」に合意。

1994 愛国主義教育の要項制定。

1995 第三次台湾海峡危機。中国が台湾周辺海域でミサイル実験。

1996 台湾で初の総統直接選挙が行なわれる（李登輝が当選）。

1997 鄧小平死去（1904〜）。

イギリスの香港統治が終了。中国に返還される。以後50年間、香港に「一国二制度」の高度な自治が保障される。香港特別行政区政府の行政長官に董建華が就任。

1999 台湾の李登輝、台湾と中国は特殊な国と国の関係とする「二国論」発表。

マカオがポルトガルから中国に返還される。「一国二制度」のもと、50年間の高度な自治が認められる。

2001 中国が世界貿易機関（WTO）に加盟。

2002 1月、台湾（中華民国）が世界貿易機関（WTO）に加盟。11月、中国広東省で最初のSARS患者が確認される。

2003 3月、台湾で初めてのSARS患者が確認され、流行が拡大する。10月、中国各地で反日運動が始まる。

台湾のパスポート表記「REPUBLIC OF CHINA」に「TAIWAN」が追加される。

2005 中国で「反国家分裂法」が採択され、直ちに施行される。各地で反日デモが激化。

2007 中国で「物権法」が成立。私有財産が認められる。

香港特別行政区基本法では、2007年以降の普通選挙実施の可能性を示していたが、行われず。間接選挙により曽蔭権が行政長官に再選。

2008 チベットで独立を求めるデモが暴動へと発展。北京オリンピック開催。

中国、台湾間で、通信・通商・通航の「三通」が解禁される。

２００９ 台湾（中華民国）が世界保健機関（ＷＨＯ）の年次総会に傍聴者として参加。１９７１年の国連脱会以来、初の国連活動参加。

新疆ウイグル自治区のウルムチで、ウイグル人による漢民族への抗議行動から騒乱へと発展。

２０１０ 中国と台湾間で両岸経済協力枠組協定に署名。経済・貿易関係の正常化へ。

人権活動家の劉暁波にノーベル平和賞が授与されたことで、中国がノルウエー産サーモンを輸入禁止に。

中国ＧＤＰ、日本を抜き世界第2位に。

2012 香港行政長官選挙で親中派の梁振英が当選。

南シナ海の領有権をめぐり、中国がフィリピン産バナナを輸入停止に。

２０１４ 台湾で、「サービス貿易協定」に反対する学生らが立法院を占拠。「ひまわり運動」へ発展。

香港で行政長官の選挙制度に抗議するデモが拡大（「雨傘運動」）。

中国、アジア太平洋経済協力首脳会議で、習近平が「一帯一路」構想を提唱。

2015 5月、経済政策「中国製造２０２５」を発表。10月、「ひとりっ子政策」廃止。

シンガポールで１９４９年の分断後初の中台首脳会議。

2016 1月、台湾総統選挙で民進党の蔡英文が当選。初の女性総統誕生で、再び民進党の政権に。

7月、ハーグ（オランダ）仲裁裁判所が、中国の主張する南シナ海での権利について「国際法上の根拠なし」との判決下す。

2017 韓国がアメリカの迎撃ミサイル配備に承諾したことで、中国で韓国製品や旅行をボイコット。

２０１９ 6月、「逃亡犯条例改正案」に反対する香港市民がデモ。参加者は１００万人を超え、中国返還後最大規模のデモに。

8月、中国政府が台湾への個人旅行を停止。12月、武漢で原因不明の肺炎の症例を確認。

2020 1月9日、中国政府が新型コロナウイルスを検出したことを発表。4月、オーストラリアのモリソン首相が、新型コロナウイルスの発生源について徹底的な調査を要求。中国がこれに反発してオーストラリア産の牛肉の輸入を停止。以後ワインや大麦にも高い関税が課せられる。6月、全国人民代表大会で「香港国家安全維持法」が可決、施行される。

12月、アグネス・チョウら香港の民主活動家3名に実刑判決が下され、収監される（～２０２１年6月）。

2021 1月、ＷＨＯの調査団が華南海鮮卸売市場を調査。3月、中国が台湾産のパイナップルを輸入停止に。5月、中国政府が夫婦ひと組につき子ども3人まで認める方針を発表。7月1日、中国共産党１００周年祝賀記念式典が催される。

＊参考文献・資料／池上彰『そうだったのか！ 中国』（集英社）、『詳説世界史』（山川出版社）、『20世紀年表』（毎日新聞社）、台北駐日経済文化代表処ＨＰ

おわりに

　私が講義を持っている東京工業大学には附属高校があります。東京工業大学附属科学技術高等学校です。現在は東京のＪＲ田町駅前に校舎がありますが、いずれ東京工業大学のキャンパスの中に移転する予定です。

　私は東工大の特命教授として、毎年、この高校で国際情勢に関する講義をしています。この高校で教えてみて驚いたこと。それは生徒が男女とも実に活発だということです。講義中、目を輝かせて食いついてきて、活発な質問の連続することには毎回驚かされます。理系の高校ではありますが、歴史や社会についての関心の高さは特筆ものです。

　本書のシリーズは、中学生や高校生を対象に地域別に講義をし、その講義録に加筆して完成させています。今回、小学館の編集者から、「次はどこの学校で講義しましょうか」と相談された際、私は躊躇なくこの高校を提案しました。ご協力いただいた先生方にお礼を申し上げます。

科学技術高校だけあって、中国のＩＴにもなみなみならぬ関心を示してくれました。中国の若者たちは、激しい生存競争の中で猛烈に勉強していますが、日本の若者たちも大したものなのです。

これからの日本を支えていく若者たちは、隣国をどのように受け止め、どんな付き合い方をしていくのでしょうか。そのためには、まずは相手のことを熟知すること。それを考えながら本書を読んでいただけると幸いです。

この本をつくるに当たっては、小学館の園田健也さん、岡本八重子さん、西之園あゆみさんにお世話になりました。感謝しています。

池上　彰

本書を刊行するにあたって、
東京工業大学附属科学技術高等学校の
先生や生徒のみなさまにご協力いただきました。
厚く御礼申し上げます。

――編集部

池上彰の世界の見方
Akira Ikegami, How To See the World

中国
巨龍に振り回される世界

2021年10月5日　初版第1刷発行
2021年11月14日　第2刷発行

著者
池上 彰
発行者
下山明子
発行所
株式会社小学館
〒101-8001 東京都千代田区一ツ橋2-3-1
編集03-3230-5112 販売03-5281-3555
印刷所
凸版印刷株式会社
製本所
株式会社 若林製本工場

 ISBN978-4-09-388824-0

構成・岡本八重子／**ブックデザイン**・鈴木成一デザイン室
DTP・昭和ブライト／**地図製作**・株式会社平凡社地図出版
編集協力・西之園あゆみ／**校正**・小学館出版クォリティーセンター
撮影・五十嵐美弥(本文)、岡本明洋(カバー、帯)
スタイリング(カバー写真)・興津靖江(FELUCA)／**制作**・斉藤陽子、
坂野弘明／**販売**・大下英則／**宣伝**・細川達司／**編集**・園田健也